Elise

Ce livre a été écrit
en mettant mes tabous,
mes censures dans une

ET MÊME LE DIMANCHE!
de Louise Lamarre
est le deux-cent quatre-vingt-deuxième ouvrage
publié chez
LANCTÔT ÉDITEUR.

remise.

Bonne lecture

Louise Lamarre

ET MÊME LE DIMANCHE !

Louise Lamarre

ET MÊME LE DIMANCHE !

Roman

LANCTÔT
ÉDITEUR

LANCTÔT ÉDITEUR
1 660 A, avenue Ducharme
Outremont, Québec
H2V 1G7
Tél. : (514) 270.6303
Téléc. : (514) 273.9608
Adresse électronique : lanctotediteur@videotron.ca
Site Internet : www.lanctotediteur.qc.ca

Illustration de la couverture : Alain Reno
Mise en pages et maquette de la couverture : Louise Durocher

Distribution :
Prologue
Tél. : (450) 434.0306/1.800.363.2864
Téléc. : (450) 434.2627/1.800.361.8088

Distribution en Europe :
Librairie du Québec
30, rue Gay-Lussac
75005 Paris
France
Téléc. : 43.54.39.15

Nous remercions le ministère du Patrimoine canadien et le Conseil des arts du Canada de l'aide accordée à notre programme de publication. Nous remercions également la SODEC, du ministère de la Culture et des Communications du Québec, de son soutien. Lanctôt éditeur bénéficie du Programme de crédit d'impôt pour l'édition de livres du gouvernement du Québec, géré par la SODEC.

Dépôt légal – 3e trimestre 2004
Bibliothèque nationale du Québec
ISBN 2-89485-300-9

— Silence ! Bande de pervers ! fulmina Ignatius. Écoutez-moi !

— Dorian, implora le cavalier de sa voix de soprano, fais-le taire. Nous nous amusions tant, c'était gai, gai ! Mais lui, je ne le trouve même pas rigolo.

JOHN KENNEDY TOOLE,
La conjuration des imbéciles

Chapitre premier

MOI, CE MATIN-LÀ, quand je me suis levée, j'avais cinquante ans. Énorme ! Ça me semblait un âge déterminant. En quoi ? Je ne sais pas exactement ; quarante-neuf n'avait pas été rose non plus. Je ressentais la fin imminente de quelque chose qui s'apparentait à ma condition de femme. Difficile à dire. Mon corps écopait des contrecoups et ma tête n'avait plus aucun repère. Dès qu'une certitude pointait son nez fiérot des limbes dans lesquelles je flottais, je l'écrasais comme un puceron, et je n'étais pas plus tendre avec les hypothèses, les suppositions et les et-si-jamais-jusqu'à-preuve-du-contraire. Les valeurs auxquelles j'accordais autrefois tant d'importance, je les abandonnais une à une pour les remiser auprès des fabliaux, contrepèteries et autres histoires eschatologiques. Je vivais à ras les actualités, ce qui excluait les nouvelles de la veille qui n'étaient pas compilées dans mon *scrapbook*.

Je n'avais parlé à personne de cet anniversaire. On ne se vante pas d'avoir cinquante ans. Un mauvais moment à passer. Enfin, pas vraiment, puisque la situation ne peut qu'empirer. C'est ce que j'ai vérifié avant de me rendre au travail, ce matin-là.

J'ai fait un certain bilan devant le miroir de ma chambre, une espèce de psyché pivotante qui me réfléchit cruellement de haut en bas. Un témoin à charge. Braquée devant ma psyché, j'ai évalué, nue, l'état des choses, avec circonspection d'abord. Je ne voulais pas m'énerver tout de suite, mais j'étais bien forcée d'admettre que je ne me plaisais pas. Je ne me suis jamais vraiment appréciée. C'était pareil à vingt ans lorsque je me regardais dans une glace. Mais ce matin-là, je me plaisais encore moins. Les seins trop bas à mon goût, le ventre ballonné avec un léger repli là où commencent les poils pubiens. J'ai approché mon visage contre le miroir, révélant un scoop sur les ridules qui cernaient mes yeux. Non, il n'y avait plus de temps à perdre. Cinq ans ? dix ans ? Ou était-il déjà trop tard ? Je me suis examinée sous différents angles : toujours le même verdict.

Puis j'ai procédé à une évaluation plus stricte, sans complaisance. Un examen dur, presque médical. La cuisse mollette, la fesse cellulitique au moindre pincement et le nombril un peu trop rentré. Mais j'avais une journée à faire, moi, des responsabilités professionnelles, quelques conflits à gérer. Ce n'était pas le temps de sombrer. Alors je me suis considérée avec plus d'indulgence. D'ailleurs, l'ensemble, la silhouette je veux dire, paraissait bien ; la peau, douce.

J'ai conclu, pourvue de tous ces atouts, qu'à cinquante ans, il était encore temps d'opérer des changements en profondeur, à la condition de transgresser cette ultime barrière que constituait mon passé, c'est-à-dire cet amas de préjugés qui à mon insu me tirait sans cesse dans les mêmes ornières.

Je me suis donné une chance. Et j'ai enfilé un chandail très ajusté et des bas collants assortis pour amorcer ces changements.

Après, je me suis rendue au travail, au centre d'éducation des adultes, enfin pas vraiment pour adultes parce que la plupart des élèves y ont à peine dix-huit ans. J'ai encore plusieurs années de service à y consacrer, étant donné que je suis, comme on dit, une vocation tardive, si on peut parler de ma carrière d'enseignante comme d'une vocation – pourtant, parmi les collègues, les cheminements parfaits ne sont pas rares : études secondaires, collégiales et universitaires sans pause ; à vingt-deux ans, premier versement au fonds de retraite.

En gros, mon job est de broyer des graines pour en extraire les huiles essentielles. C'est dire la teneur de ce qu'on récupère après l'extraction. Des gouttes. La plupart du temps, les profs, ils diluent ces gouttes, ainsi le résultat obtenu réconforte tout le monde. Alors ils diluent, diluent. Ne reste qu'un brouet filasse quand les élèves sortent avec un diplôme, mais ça paraît mieux qu'une goutte tout de même. C'est plus valorisant. Moi non plus je ne carbure pas à la qualité. Là-dessus, on s'entend. Ce n'est pas exactement notre domaine, la qualité. On n'est pas chez Holt Renfrew, ici. On distille plutôt des produits du genre « tout à un dollar ». Et il ne faudrait quand même pas se faire accroire que notre pacotille est sous-estimée.

Dans la classe, j'ai regardé les élèves assis devant mon pupitre et dont les parents sont plus jeunes que moi, enfin je le suppose, d'après mes calculs de prof de français. J'ai observé particulièrement un garçon d'à peine vingt ans qui se tient toujours en retrait dans un coin. Il a l'habitude d'écrire des poèmes et, jusqu'à maintenant, ses épanchements rhétoriques me laissaient plutôt froide. D'ailleurs, la poésie ne touche pas mes parties sensibles, surtout pas les envolées sirupeuses et gluantes des ados. Il s'appelle Olivier. Comme il se cache derrière son sac et ses cahiers, la plupart du temps je l'oublie. Olivier, il n'a rien pour retenir mon attention. Ni beau, ni laid, ni spécialement brillant. Et puis, cette façon de se cacher…

Il s'est déjà confié à moi, il m'a parlé de sa « situation familiale difficile ». Il a dit qu'il vivait une « grande solitude ». Quelque chose comme ça. Je n'ai pas montré beaucoup d'empathie. Les élèves ont tant de problèmes, ce n'est pas le temps de s'attendrir quand on opère des fractures ouvertes dans le convoi humanitaire. Passez-moi le bistouri. Excusez-nous pour l'anesthésiste, il est requis ailleurs. Faut bien se partager les services.

— Olivier, viens me voir, que je lui ai dit.

Il s'est approché avec son air timide habituel.

— Allons, viens t'asseoir près de moi.

Je voulais lui parler sans que les autres élèves m'entendent et du même coup profiter d'une certaine proximité. Voir l'effet que ça me ferait ou que ça lui ferait à lui.

— Tes poèmes, Olivier, lui ai-je dit en le regardant vraiment pour la première fois, tes poèmes, ai-je répété d'une toute petite voix doucereuse, pour qui les écris-tu ?

Olivier, il me fixait, surpris, avec ses grands yeux noirs de jeune Haïtien. Je savais bien que ses poèmes ne m'étaient pas adressés, mais j'usais de cette tactique pour le confondre, pour sonder de ce côté l'état des grappins, évaluer les aires de repos. Pour survivre, quoi !

De la fenêtre au fond de la classe, j'avais eu maintes fois l'occasion d'observer le chat qui squattait le petit bungalow face à l'école. La maîtresse de maison avait suspendu à un crochet une mangeoire pour les oiseaux sur le mur latéral du garage qui jouxtait la maison. Le chat se terrait contre la porte du garage. En retrait dans le renflement du cadre de la porte, il guettait les moineaux qui se précipitaient sur les graines qui tombaient de la mangeoire. Alors là, il bondissait et se tapait le plus indolent. Depuis le temps qu'il opérait devant ma fenêtre, j'avais eu tout le loisir d'apprécier son enseignement. Les moineaux n'avaient qu'à bien se tenir.

— Pour personne. Je les écris à personne en particulier, mes poèmes. Aux femmes en général... ou peut-être à moi-même, a chuchoté Olivier.

— Tu t'écris des poèmes d'amour ? Ah oui ?

Sur mon bureau, il y avait un de ses poèmes. Six lignes d'une écriture naïve qui m'ont fait sourire.

— Tu peux aller te rasseoir, que je lui ai dit en le dévisageant.

Il s'est exécuté sans se faire prier.

Mon audace me réconfortait. Ça augurait bien le changement. Le petit avait bien reçu le message de la phase I, je pouvais procéder à la suivante.

À la pause, je l'ai convoqué à nouveau à mon bureau. Je n'avais pas l'intention de le laisser filer.

— Olivier, lorsque tu as écrit ton texte sur la femme de tes rêves, tu as précisé qu'elle portait des vêtements roses : des bas roses, un chandail rose ; enfin qu'elle était toute de rose vêtue.

— Rose ?

— Je ne cherche pas à t'accuser de quoi que ce soit, bien au contraire, ai-je ajouté pour le rassurer, mais à qui pensais-tu ? Tu sais bien que j'ai des vêtements roses.

Le sujet était délicat et je risquais de travailler contre moi. Au lieu d'éveiller un désir chez le garçon, mon insistance finirait par l'effrayer. D'ailleurs, il s'est levé et est parti prendre sa pause, tout hébété.

Mes premières tentatives de changement tournaient à vide. J'ai replacé mon chignon, c'est-à-dire que j'ai desserré le peigne qui le retenait, et ai dégagé une mèche que j'ai laissée tomber sur le front. Puis, je me suis remis du rouge sur les lèvres. On a beau être sur la première ligne, il y a des permissions qu'il faut se donner. Dans mon cas, ça s'avérait une nécessité. Contre la porte du garage, le chat guettait toujours ses proies, il ne bronchait pas.

Après la pause, les élèves sont rentrés dans la classe sans me regarder. Jusqu'à maintenant, mon intérêt ne dépassait pas le leur. Olivier, par contre, a daigné me jeter un regard, bien que sans expression. Un regard difficile à interpréter, mais les spéculations ont tôt fait de surgir dans mon esprit chaotique, car le garçon ne me manifestait aucun intérêt. Le néant. Et plus il me présentait ce néant, plus j'aspirais à le combler.

Olivier n'est pas venu me voir de toute la période et il s'est précipité vers la sortie au signal de midi. Quand les élèves ont tous eu quitté la classe, je suis restée seule. On ne sait jamais, ai-je pensé, quelque chose peut encore se produire. Mais ce quelque chose ne s'est pas produit. C'est toujours la même histoire. Pourtant, dans les journaux... des événements... alors que moi... rien.

Le midi, j'ai rejoint mes collègues dans notre salle commune. Ça puait la routine et le poisson au nuoc mâm. La préparation de la popote. Le napperon à carreaux roulé sur les ustensiles. La serviette de papier. Les contenants de plastique. Le micro-ondes.

—Tu me passes le sel ?

—Je le vois pas.

— Wow ! Des sushis !

Le Tupperware de Victor était rempli de morceaux colorés et odorants. Des yeux de poissons éclatés et des rondelles de toucans compressés.

— Oui, des restes de la veille, qu'il a dit.

— J'ai jamais de restes, moi. Avec les enfants et les chiens... je peux juste me faire chauffer des plats congelés, a dit Patricia.

Avec des enfants ou des animaux, on se contente de rations de macaronis congelés, ou on se les farcit au Velveeta, c'est bien connu, il faut en assumer les conséquences. Alors que les autres, à eux les gnocchis au gorgonzola et les sushis. Encore un peu ? Ça suffit, merci. On passe son tour.

— Tu veux y goûter ?

— Non, non, j'ai bien mangé, qu'a dit Patricia alors qu'elle terminait sa portion de macaronis en essuyant soigneusement le contenant cartonné avec un bout de pain.

À la pause du matin, elle avait grugé sa pomme jusqu'au trognon, même qu'un morceau de cœur s'était logé dans son larynx et s'était entêté plus d'une heure à lui faire des misères. « Demain j'apporterai une orange », avait-elle décidé, prudente.

— J'ai pensé m'acheter un chien, moi aussi, a dit Alice.

— T'as trop de restes ? Parce que, pour les sushis, vaut mieux te procurer un chat, que lui a conseillé Victor, un morceau complet d'œil ou de toucan dans la bouche et la sauce au vinaigre de riz qui lui dégoulinait sur les poils du menton.

— En fait, je ne mange jamais de sushis et je suis allergique aux chats, a précisé Alice.

— Moi, je suis allergique aux fruits de mer, a

ajouté Patricia. Heureusement que c'est pas mon fort, les mollusques. J'aime bien la cuisine toute simple.

—Tu crois que c'est simple, ton truc ? Tiens, veux-tu voir tous les ingrédients qu'ils contiennent, tes macaronis ? Blé modifié, dextrose...

Gras trans, os pulvérisé non identifié ; liants de laboratoire, colorants synthétiques et agents de conservation.

—Suffit, Victor !

—Je vais au bord de la mer à Noël, a dit le conseiller que le mot *mer* avait tout à coup intéressé.

Il feuilletait un magazine publicitaire de l'agence Pro-soleil destiné expressément aux professionnels de sa catégorie, c'est-à-dire aux détenteurs de capital, soit, et surtout à ceux qui sont aptes à bénéficier des prix plus qu'alléchants des séjours prolongés et hors-saison qu'elle proposait, comprenant des visites éclair à La Havane dans des clubs sélectionnés, une tournée péruvienne dans les sites préincas exfoliés ou l'aventure costaricaine dans une forêt artificielle repeuplée d'animaux temporairement préservés d'extinction. Pour les plus exigeants, elle offrait d'autres opportunités qu'elle ne pouvait pas faire paraître dans son magazine ; il suffisait de manifester un brin d'intérêt et elle se chargeait du reste.

Entre l'évier et la machine à café, un calendrier géant, gracieuseté de l'agence de voyage, exposait en un seul tableau les dix mois de l'année scolaire avec en filigrane une destination soleil pour chacun. Patricia, qui avait un faible pour les côtes tunisiennes en février, en compta deux et trois-quarts avant le congé des Fêtes.

—Parle pas de Noël, a-t-elle supplié le conseiller.

—Ça me fout la déprime à moi aussi, a dit Alice.

—Avec un chien, t'aurais moins le cafard, a ajouté Patricia qui entretenait deux jacks russels voraces et indomptables en plus de ses trois enfants tout aussi exigeants.

La veille, ils s'étaient disputé des biscuits ; l'un des deux jacks avait perdu une dent, elle s'était fixée malencontreusement dans la manche d'un garçon. L'aîné avait mangé tous les biscuits, n'en laissant qu'un morceau qui lui avait glissé des mains, à Wolf, le jack qui avait conservé toutes ses dents, a raconté Patricia.

Tout le monde s'est concentré à nouveau sur son lunch ou, pour ceux qui bouffaient plus rapidement, sur le nettoyage de leur coin de table. Laver leur couvert. Rouler le napperon. C'est toujours comme ça le midi. N'importe quoi ! On lèche sa gamelle, on astique ses prémolaires. Le curage terminé, on procède au dégagement des lunules ou au plissage de la houppette.

Moi, je lisais mes journaux, je ne dînais pas. Je lisais tout ce qui me tombait sous la main. Je découpais les articles qui me révoltaient le plus et je les triais : politique internationale, nationale, environnement, économie. Autant de luttes en autant de sujets ; quand ce n'était pas l'exploitation minière de conglomérats à numéro sur les bords du Niger, c'était les soubresauts ésotériques du Nasdaq qui débalançaient le Fonds monétaire international qui à son tour sévissait sur les petites économies pour stopper son tangage. Me révolter contre ma mère avait occupé la première moitié de ma vie, enfin jusqu'à ce qu'elle meure ; maintenant, j'avais de quoi poursuivre avec tout ce que recelaient les journaux. Je ne m'ennuyais pas, moi. Entre deux combats, il y avait toujours les pourparlers et les traités. De temps en temps, je photocopiais un article que je distribuais dans les pigeonniers de mes collègues. Ils ne réagissaient jamais. Sans commentaires. En tout cas, ils ne pouvaient pas prétexter qu'on ne les avait pas mis au courant. Je les avais bien avertis que le terrain était miné. Je leur avais désamorcé la presque totalité du territoire pour qu'ils ne se fassent pas des petits moignons. Ils ne se rendaient compte de rien. Insouciants.

□

Personne ne m'ayant offert quoi que ce soit pour mon anniversaire, j'ai décidé de me faire moi-même un cadeau. Je n'avais quand même pas le temps d'aller chez un chirurgien ; aussitôt la classe terminée, je me suis plutôt rendue chez une esthéticienne de mon quartier pour des soins complets du visage. Elle ne pouvait rien de plus. L'esthéticienne papillotait sur mon visage, le tapotait à l'aide de crèmes et de compresses chaudes et froides pour redonner un peu d'éclat à ce qui se ternissait à grande vitesse.

—Quel âge me donnez-vous ? ai-je osé lui demander.

Ça devenait une obsession chez moi, cette histoire d'âge, j'avais besoin de savoir où j'en étais, et une vérité bien en face, même si elle fouette l'âme, vaut mieux que des suppositions qui torturent et effritent les dernières énergies.

—Difficile à dire.

—Allons, soyez honnête.

—Non, non, j'en n'ai aucune idée, a-t-elle dit, prudente, en s'esquivant soi-disant pour quérir un produit énergétique et miraculeux.

À son retour, elle m'a affirmé que, grâce à cette gelée aux pétales d'orchidée, je rajeunirais, peu importe mon âge. Évidemment, ce qui produit des effets spectaculaires est toujours très rare et très onéreux. Les orchidées de la gelée provenaient de souches naturelles d'une zone reculée d'Amazonie. La demoiselle avait mal orchestré son attirail de marketing, car moi j'étais plutôt sensible à la déforestation et au pillage des secteurs fragilisés de la biosphère. Les revendeurs de variétés autochtones de cattleyas m'horripilaient particulièrement. D'ailleurs, j'ai toujours soupçonné les spécialistes de la beauté d'exercer quelque vengeance sur les autres femmes.

Cette gelée de pétales ne sentait même pas les orchidées et, à mesure que la jeune femme me rinçait le visage, je retrouvais dans la glace l'intégral de ce qui me rebutait. Tout y était : ridules, bajoues naissantes, cernes. Et cette arnaqueuse professionnelle n'arrêtait pas de s'exclamer : « Vous avez l'air reposé maintenant. On vous en donne dix de moins ! »

De moins que quoi ? Hein, dilapideuse du patrimoine mondial ?

C'était jeudi et les boutiques étaient ouvertes dans la soirée. Aussi, en sortant de chez l'esthéticienne, « remise à neuf », qu'elle m'avait affirmé, j'ai fait le tour des boutiques avoisinantes. Après l'essayage d'une multitude de chandails, tous grossissants ou déformants (à croire que ces boutiquiers étaient de mèche avec l'esthéticienne), j'en ai acheté un, deux points sous ma taille habituelle, avec des bas collants assortis. Fini le camouflage dans les habits flottants. À défaut de m'occuper de mon âme, j'entretiendrais mon corps.

Chapitre 2

L'ATTITUDE D'OLIVIER À MON ÉGARD ne témoignait pas d'un réel enthousiasme. Mais cette légère contrariété ne me détournerait pas de mon projet, ne m'empêcherait pas de poursuivre ma grande transformation. J'avais décidé de tester ce qu'il me restait de séduction sur Olivier et je persisterais jusqu'à l'émergence du bout de la queue d'un résultat. Ce garçon avait bien quelqu'un à l'esprit lorsqu'il écrivait ses poèmes d'amour. Certains indices commençaient à me chipoter. Au début, je n'y avais prêté aucune attention, mais maintenant, tout s'embrouillait dans mon esprit, je faisais des liens idiots. Peut-être bien... Enfin, peut-être pas si idiots... Aussi, moulée dans mon nouveau cachemire et mes collants roses, j'ai demandé à Olivier de venir à mon bureau et lui ai remis discrètement une lettre. En résumé, j'écrivais que j'avais eu l'impression qu'il éprouvait de l'affection pour moi et que ça me touchait, même que ça me faisait pas mal d'effet, qu'il pouvait me parler avec franchise comme par le passé. Je n'avais aucun tabou.

Je ne l'ai pas revu de la matinée. Le drôlet a pris peur.

Déçue, je suis demeurée paralysée sur mon fauteuil à roulettes presque toute l'heure du dîner.

Pourquoi ne m'avoir manifesté aucun signe d'intérêt depuis cette lettre ? J'ai eu un moment de scrupule ; ce garçon avait mal pris la chose, j'en convenais, mais il ne fallait pas que je me rue sur un autre gamin parce qu'Olivier se montrait plus farouche que prévu. Parfois, le temps… les moineaux… les chats… Une seconde lettre plus maternelle s'imposait. Olivier méritait bien des explications. « Mon petit Olivier, que j'ai écrit, je crois que nous avons été victimes l'un comme l'autre d'une grave méprise. Tout ce que je tentais de te manifester, c'est ma profonde amitié. Voilà, ne t'inquiète pas, mon petit. Je t'embrasse comme une mère. »

En post-scriptum, j'ai ajouté que je n'attendais non pas une réponse, puisqu'il n'y avait pas de question, mais un mot de connivence ou un signe quelconque, histoire de ne pas briser « le fil qui se tissait entre nous » et de m'assurer une réaction de sa part au lieu d'une seconde fuite. Les mailles de mon filet ainsi resserrées, mon oiseau exotique ne risquait pas de m'échapper.

Cette lettre enfin terminée, j'ai trouvé la force de rejoindre mes collègues dans notre salle commune. Mon chandail trop ajusté remontait légèrement au-dessus de ma jupe, découvrant une mince lisière de peau. Seul Victor s'est aperçu de ce léger détail dans mon habillement, mais il l'a gardé pour lui.

La plupart des profs prenaient leur dîner, ils papotaient de tout et de rien. Le directeur avait pris une semaine de congé et son absence en dérangeait plusieurs. Il faisait partie d'une délégation de professionnels de l'éducation envoyée en formation à Varadero, l'idée étant de mieux comprendre les us des nouvelles clientèles en provenance des États insulaires des Caraïbes. Patricia en particulier souffrait systématiquement d'angoisse quand le commandant en chef s'absentait. Il pourrait bien se produire n'importe quoi. Une embuscade… qui sait ? On n'était pas à l'abri de machinations de toutes sortes de la part d'élèves frustrés. C'est ce que supposait Patricia qui considérait l'école comme la scène privilégiée de déroulements dramatiques.

—Il revient quand, le directeur ? Hein ?

—Pas besoin de directeur. Pour une fois qu'on a la paix, a dit Victor.

—Justement, il y en a pas, de paix. Les directeurs prennent toujours trop de congés, a ajouté Patricia.

En effet, il n'y en avait pas, de paix. On clapotait joyeusement sur des failles sismiques, mais la présence du directeur n'y changerait rien.

—Tut tut tut, je te rappelle que si ton directeur te revient légèrement hâlé, ce n'est qu'accidentel, a dit Luc qui prenait la défense de son patron qui était plutôt beau garçon, du moins à son goût à lui.

Quant à moi, son masque de carnaval ne réussissait pas à me berner.

—Quand il est là, notre directeur, avons-nous plus de paix ? a demandé Victor.

—Peut-être pas, mais on n'a pas à gérer la situation nous-mêmes. Et puis, moi, je suis jamais allée à Cuba, s'est lamentée Patricia.

—T'as l'occasion de prendre tes responsabilités, ma grande. Ça fait longtemps que tu cherches à nous montrer ton leadership. C'est le temps. Et peut-être que…

—Moi, je ne suis pas sûr que Patricia ait tort, a dit Luc, toujours plus modéré que Victor. Tu devrais pas lui parler comme ça.

— Mais j'ai rien dit, moi.

— Je t'ai entendu, moi aussi, a ajouté Alice qui opinait à tout ce que Luc disait parce qu'elle s'obstruait les pupilles pour ne pas admettre que... Non, jamais Alice... Luc n'est pas pour toi.

— Occupe-toi de ton risotto.

— Parlant cuisine, j'ai une recette de macaronis pour toi, Patricia.

— On parle justement pas de macaronis.

— Moi, ça m'intéresse, raconte-moi, Alice, a dit Patricia.

— C'est une recette toute simple.

— Elle t'a répété cent fois : elle mange des plats congelés parce qu'elle ne peut pas cuisiner. Cherche pas à lui donner des recettes.

— On peut plus rien dire alors ?

Eh non, plus rien... Dire quoi ? N'importe quoi ? C'était éclaboussé partout de fraude et de sang. À tous les niveaux, ça s'étalait merdique à pleines pages dans les journaux. Valait mieux se taire.

— Il est parti pour combien de temps, le directeur ? a gémi Patricia qui maintenant ne pensait pas aux conflits entre élèves, mais plutôt à Victor qui avait besoin qu'on l'encadre.

— Une semaine. On n'en mourra pas. T'inquiète pas, puisque tu es si anxieuse, s'il arrive quelque chose, on t'en parlera pas, lui a assuré Victor pour mettre fin à cette discussion.

Puis il s'est retourné vers moi pour vérifier l'état de mon chandail et de la peau qu'il laissait apercevoir.

— Basilica, quoi de neuf dans le monde aujourd'hui ?

J'ai feint de ne pas l'entendre et j'ai continué ma lecture. En fait, je ne lisais pas vraiment, non. Mes pensées se bousculaient dans ma tête. Chaque titre me renvoyait à mes projets de changement, à mes plans d'attaque. Chaque article gonflait mon désarroi, confirmait la détresse du monde et la mienne. L'une et l'autre se répondaient. Enfin, c'est l'impression que j'avais, car les frontières n'étaient pas claires... entre le monde et moi, que je veux dire. Ouais, je n'étais bonne à rien. Aucune concentration.

—Je te parle, Basilica, a insisté Victor.

—Je sais pas pour le monde. C'est trop vaste, le monde. Précise ta question, que je lui ai répondu. Cachemire, Corée du Nord, Kazakhstan, Montréal-Nord ?

—T'es fatiguée, ma fille. Il s'en passe trop, t'as raison. Moi, j'ai cessé de lire les journaux et je te conseille de faire la même chose.

—T'as pas compris, c'est sa mission, à Basilica, elle doit tout enregistrer dans sa tête et dans son cahier de découpage, sinon elle va culpabiliser, c'est ce qu'a dit Patricia. Alors pour ta recette de macaronis, Alice...

—C'est avec du Velveeta.

—Ah...

—Que tu fais fondre au micro-ondes.

—Ah...

—Tu ajoutes une boîte de tomates et tu remets le tout bien mélangé avec les macaronis dans le micro-ondes.

—Ah...

—Les enfants adorent, c'est ce que ma sœur affirme.

—Et les chiens ? a dit Victor.

—J'ai pas de chien. Pas encore, a répondu Alice.

De retour chez moi, je me suis empressée de retirer mes vêtements et je suis retournée devant le miroir de ma chambre. Nue, j'ai exécuté des mouvements pour bien visualiser les effets de certaines positions sur mon corps. Ainsi renseignée, si l'occasion se présentait – et j'avais la ferme intention de la provoquer si rien ne devait advenir naturellement –, je contrôlerais mieux mes gestes pour paraître toujours à mon avantage le moment venu. J'ai essayé la position couchée sur le dos, mes seins s'écartaient trop à mon goût. Appuyée sur les coudes, c'était mieux, mais pas très naturel et assez épuisant. À quatre pattes, je trouvais que mes seins s'étiraient trop. Finalement, c'est sur le côté, juste un peu, à la manière de l'*Olympia* de Manet, qu'il me semblait être la plus avantagée. La position avait le mérite d'être confortable et assez sensuelle. L'*Encyclopédie pratique des arts, des impressionnistes à nos jours* contenait d'autres informations utiles dont j'userais plus tard. Je pensais à Bonnard dont les modèles procédaient avec grâce à leur toilette quotidienne.

Cinquante ans... un âge terriblement injuste parce que je flambais un peu tard à mon goût.

Un soir, j'avais eu une relation avec un jeune homme que j'avais rencontré dans un bar. Il devait être au début de la trentaine. Le gars avait une bite énorme, avec une érection... énorme aussi. Une érection comme celle-là crie le désir de la façon la plus indécente qui soit. Je ne me suis pas perdue en conjectures pour analyser ce qu'il me trouvait. Non, je me suis laissée aller complètement, peu importait ses raisons profondes. On n'a baisé qu'une seule fois, mais mon corps avais enregistré ce plaisir, et cette jouissance m'obsédait tel un mec qui en bave pour une fille jeune. Il m'arrivait souvent depuis de sentir ce désir monter à mon insu. La vague naissait au niveau du bas-ventre, puis le désir se propageait de façon diffuse sur les côtés jusqu'aux ovaires. Là, quelque chose se déclenchait comme si on avait pesé sur une alarme, et un courant ou peut-être une enzyme circulait dans mes veines, à même mon sang, dans tout mon corps, jusqu'au creux de mes mains.

Cette sensation était très complexe, mais je savais alors que je voulais baiser. C'était plus fort que tout, c'était cette enzyme qui venait de mes ovaires. Mes joues rougissaient, j'avais une hypersensibilité sur toute la surface de ma peau, sur mes lèvres, sur mes mains qui étaient électriques et brûlantes.

Chapitre 3

— CE CAFÉ-LÀ est suri, a dit Alice.

— Ouais, c'est à cause du lait.

— Qui l'a laissé dans le frigo ?

— C'est à ton tour de faire le ménage du frigo, hein, Patricia ? a dit le conseiller qui était expert en distribution de tâches et qui pourtant n'avait pas cette clause dans sa convention collective.

Alice s'est contentée de ses biscuits à l'avoine achetés dans la distributrice de la cafétéria. Deux grosses galettes préservées dans la cellophane à l'aide de multiples additifs, sans café pour les accompagner.

— Ça me fait penser que, moi, j'ai entrepris un super gros ménage de mon garage, a dit Vladim, vraiment fier de lui.

— T'as démêlé tes vis et tes clous ? que lui a répondu Victor qui ne se montrait jamais aimable.

Heureusement que tout le monde s'en foutait. De Victor comme des vis et des clous. Ainsi que des bombes à fragmentations et de la situation des grands mammifères prisonniers sur des bandes boisées de cinquante kilomètres cernées de pergélisol desséché ; de l'avenir des sans-futurs, des quatre-vingt-sept spécimens récurrents qui scribouillaient des cahiers depuis plus de trois ans dans leur classe – les pauvres élèves épuisaient leur maigre réserve à se débattre pour se faufiler dans un entonnoir qu'ils prenaient pour le bout du tunnel, mais qui en fait les propulserait directement dans le vide où ils chuteraient indéfiniment, ouais, pour tout le temps, ouais.

— Moi, j'en ai un sur une fesse, un clou, et j'ai de la misère à m'asseoir, a osé dire le conseiller en rigolant parce qu'il était un peu gêné et, franchement, il y avait de quoi.

— Où est-ce que t'as mis tes fesses ? a demandé Victor.

Le conseiller rose et joufflu se trémoussait avec un sourire entendu comme si ce furoncle judicieusement placé lui conférait un statut particulier.

— Je l'ai vidé, mon garage, au grand complet, a continué Vladim : les clous, les vis et tout le reste. Le jour des vidanges, il y avait au moins dix sacs devant chez moi, et c'est sans compter les objets qui pouvaient pas entrer dans un sac et que j'ai empilés les uns sur les autres sur le trottoir. Ça faisait un tas… je dirais d'environ trente pieds cubes.

— Tu peux maintenant te concentrer sur les vraies choses. T'as assez perdu de temps, que je lui ai dit.

Moi, je pensais au temps qu'on perd à se branler tout seul. Je ne sais pas s'il m'a bien comprise.

— Je vois que t'as déjà commencé ton ménage, toi aussi, m'a répondu Victor qui pensait plutôt à celui de ma garde-robe.

— Pas encore, mais il va être important.

— T'es plus léger, c'est sûr, a dit Luc qui estimait vraiment Vladim et qui ne voulait pas être en reste, mais trente pieds cubes, ça ressemble à quoi ? Et puis t'aurais peut-être pu nous en parler avant de tout foutre à la poubelle. On sait jamais…

— Passe-moi le lait, je vais te dire ce que j'en pense.

— C'est pas à mon tour de faire le frigo, c'est à Alice.

— J'ai engagé quelqu'un pour faire mon ménage chez moi. Je vois pas pourquoi je m'en chargerais à l'école. Y a plein d'élèves qui seraient contents de se taper ce contrat-là.

— Pour les clous, il n'y a rien comme le *Corn'stasch*, a dit Patricia qui compatissait aux problèmes du conseiller – on se demande pourquoi – et qui avait jonglé tout ce temps-là sur la façon dont elle l'aiderait, histoire de bien se positionner dans son collimateur à lui.

D'ailleurs, ils mangeaient le plus souvent côte à côte et entrecoupaient leurs agapes de remarques ultra-éducatives sur les élèves et sans doute sur nous, les profs, quand nous n'étions pas là pour faire obstruction. Ils complotaient, ces deux-là ! Mais, le plus aberrant, c'était leur conception de la pédagogie. Si on ne les avait pas retenus, ils auraient instauré un régime militaire inspiré probablement d'un des nombreux voyages du conseiller dans les îles du Sud, ceux sur lesquels salivait Patricia. Déjà que les financiers de Wall Street nous dictent nos budgets parce que nos P.D.G, D.O.G., D.G. et D. de la commission scolaire croient qu'il faut nous diriger comme une moyenne entreprise en fluctuation sur le plancher boursier. Je me demande bien qui sont les actionnaires.

— Je garde pas ça dans ma pharmacie, c'est ce que lui a répondu le conseiller hilare en parlant du *Corn'stach.* D'ailleurs, il n'y a rien comme le soleil pour les clous.

Patricia ricanait parce que l'achat de sa dernière boîte remontait à plus de cinq ans. Elle n'avait jamais eu de clous.

—S'il m'en reste, je te l'apporte demain.

—T'es sûre qu'il va être d'attaque pour affronter mon clou ? a gloussé le conseiller.

Moi aussi, j'avais bien besoin de quelqu'un pour entreprendre le ménage de mon appartement. Même si je n'avais pas de garage, j'avais des armoires pleines de pilules ou de produits de beauté périmés (je pourrais inviter Luc à y jeter un coup d'œil). Ma boîte de *Corn'stach*, si j'en avais une, datait de la même époque que celle de Patricia.

—Comment tu l'as dénichée, ta femme de ménage ?

—Ici même, à l'école. J'ai écrit une petite annonce que j'ai affichée sur le babillard de l'escalier, m'a expliqué Alice.

Après la pause, j'ai rédigé mon annonce ; je n'étais pas pour le faire en prenant mon café. « Il faut se respecter si on veut que les autres nous respectent », c'était écrit sur une affiche du syndicat des employés de soutien scotchée sur la porte du secrétariat. C'est pour ça que j'ai ouvert la porte de ma classe sept minutes après la cloche.

—Ouais, tu devrais passer chez le directeur te chercher un billet de retard, m'a dit Béa, une grande blonde des moins ponctuelles, celle qui arrivait avec vingt minutes de retard tous les matins et qui le niait avec un aplomb apeurant, au point de semer un doute dans mon esprit déjà si peu enclin aux certitudes.

—Il est parti en vacances, faut bien en profiter, que je lui ai répondu.

C'était toujours celle-là qui se montrait la plus pointilleuse sur le moindre de mes travers. Heureusement qu'un pacte tacite nous assurait, à la plupart des élèves et à moi, une certaine liberté : le plus souvent, je leur foutais la paix et vice versa.

Tout le monde a rejoint sa place et s'est mis au travail. J'avoue que les élèves étaient bien plus motivés que moi. Ils s'acharnaient sur des problèmes de participes passés comme si ceux-ci recelaient quelque vérité sur le monde. Comme si leur propre enfer ne constituait pas un problème drôlement plus inquiétant. Les élèves trimaient tels des docteurs en recherche fondamentale. Et, curieusement, ils ne se montraient jamais déçus devant leurs découvertes qui s'avéraient de simples conventions à respecter. Au fond, ils étaient soulagés parce qu'ils avaient des réponses, eux. Alors que les chercheurs... Il est dangereux de sillonner les regs infinis, les réserves ne suffisent jamais.

Mon premier client, comme par hasard, c'était Olivier.

Il est venu à mon bureau avec son cahier d'exercices pour que je lui explique le rôle des propositions subordonnées, celles qui sont conjonctives relatives. Je considérais cette demande, dans le contexte du moins, d'un ennui terrible. Pire, d'une absurdité sans fond. J'aurais éliminé la moitié du programme ; j'en évacuais déjà le quart.

Le garçon ne veut certainement pas me parler propositions, que j'ai pensé. Peut-être bien, après tout, que les propositions ont toujours servi de prétexte à autre chose. Il a glissé discrètement une feuille pliée en quatre hors de son cahier que j'essayais de ramener vers moi à l'aide de mon index. Nous avions les yeux rivés sur ce bout de papier et sur nos doigts qui le tripotaient. Quiconque nous aurait observés alors aurait deviné notre stratagème. J'aimais ça, cette complicité avec Olivier. Il n'a pas posé une seule fois ses grands yeux noirs sur moi. Mais, moi, je ne me gênais pas, je le trouvais mignon. Et, pour moi, ça se confondait avec sublime.

— Les conjonctives, si je comprends bien, sont des compléments d'objet, alors que les relatives, des compléments du nom.

Il m'a dit ça le plus sérieusement du monde. Comme si les conjonctives le concernaient, comme si on pouvait discuter de conjonctives sans rire ni sourciller.

— Pas nécessaire de trop comprendre, suffit de t'en rappeler par cœur ou d'être capable de consulter ta grammaire, c'est tout ce qu'on te demande. Car si tu veux comprendre, là c'est autre chose, l'ai-je averti, on appelle ça de la linguistique et, la linguistique, c'est ma spécialité, petit.

Je me vantais un peu, mais lui, le mot « linguistique » ne lui rappelait rien. Il avait beau se creuser les méninges, plisser nez, front et sourcils : rien. Alors je n'ai pas perdu mon temps à lui expliquer la position de la subordonnée dans l'arbre chomskyen. J'étais ouverte à d'autres discussions plus légères ou plus personnelles. Si la linguistique l'embêtait, on pouvait se confire de poésie caraïbéenne ou de son inspiration du moment.

Quand le garçon a regagné sa place, j'ai tout de suite sorti le billet de sous le livre et l'ai lu :

> Je suis vraiment heureux de l'amitié que tu me donne. Je suis allé travaillé hier

soir mais j'ai pas senti la fatigue, bien que je sois couché à une heure le matin. Merci de m'a donné ta confiance. Cela me plaît dans ma solitude.

Ton ami Olivier

D'accord, il y avait des fautes, mais je l'ai trouvé touchant, bien qu'un peu sibyllin. Il avait l'amitié profonde et un tantinet chaste à mon goût. Il devait avoir accroché sur mes mots « comme une mère » et ça l'avait soulagé. Mère… c'est tout un changement qu'il me proposait ! Je jonglais avec cette idée. Je me ramollissais parce que de la compassion ou une espèce de magnanimité se mélangeait à mes enzymes ou à mes glandes lactifères.

Après le cours, j'ai croisé Victor dans le corridor désert. Il avait encore mon accoutrement de la veille en tête. Je lui avais tapé dans l'œil, alors que d'habitude, c'était plutôt sur les nerfs. Il a vite saisi le changement qui s'opérait en moi, il ne ratait jamais le moindre indice. Ça l'excitait au plus haut point. Il tournait autour de moi depuis ce temps-là.

J'ai décidé de répondre à ses avances, histoire de tester mes capacités et de déprogrammer Olivier de mon cerveau, car je n'étais pas tout à fait prête à assumer mon rôle de mère. Ça coûte cher, les enfants, et moi, j'espérais une relation vraiment gratuite. J'ai fait signe à Victor de s'approcher.

— On peut s'occuper de ton problème, lui ai-je suggéré, arranger quelque chose entre nous, que je veux dire.

Il avait bien rêvé à une rencontre aussi enrichissante, mais les rêves, ça ne se réalise jamais, hein ? On se cogne sans cesse le nez sur le béton et il n'y a jamais personne pour torcher nos hémorragies. Alors que là…

— Dans dix minutes, viens me rejoindre aux toilettes du troisième.

J'avais l'intention de prendre vingt minutes pour m'y rendre, histoire de le laisser mariner un peu et qu'il soit bien bandé. Quand je suis entrée dans les toilettes, il y était déjà depuis au moins vingt minutes, je l'aurais parié. Aussitôt, il s'est précipité sur moi pour m'embrasser. Je l'ai repoussé tant bien que mal. Ce n'est pas ainsi que j'avais planifié notre rencontre. Les embrassades n'étaient pas au menu. Du calme, bonhomme !

J'ai retiré ma culotte et il m'a empoigné les fesses vigoureusement. Je n'étais pas pour le laisser prendre le contrôle des opérations, alors je lui ai pressé les épaules pour l'obliger à se pencher. Il s'est exécuté, vu mon insistance. Lorsque sa bouche a été à la hauteur de mon sexe, je me suis assurée de sa docilité en appuyant mon pied chaussé sur son épaule. Il tatillonnait avec sa langue sur mon clitoris comme un vrai amateur. Je me concentrais de toutes mes forces pour espérer jouir de ses chatouillements timides. J'ai agrippé les deux crochets au-dessus de ma tête qui servaient à accrocher les balais du concierge. Je me suis soulevée, le pied toujours appuyé sur son épaule droite. J'ai posé le pied gauche sur l'autre épaule. Je ne touchais plus terre et tous mes muscles se tendaient dans l'effort de garder la pose. Victor essayait de se défaire de sa position, mais mes cuisses le pressaient à poursuivre son travail jusqu'à ce que je jouisse. « Allons, continue, Victor ! » que je me disais. Et ainsi juchée, j'ai joui malgré sa maladresse et les efforts que je déployais. Puis j'ai descendu lentement les pieds sur le sol et j'ai remonté ma culotte. L'autre me regardait, ahuri.

— C'est à mon tour, maintenant, tu me dois bien ça !

— Une autre fois, ai-je menti parce que je n'avais aucunement l'idée de lui accorder un tour.

Il n'arrêtait pas de me tripoter et de presser son sexe sur moi.

— Allons, envoye !

— Je te l'ai dit : pas maintenant.

Je restais polie, mais il frôlait mes limites parce que je l'avais gratifié de tout ce que j'avais en réserve.

□

Rassurée sur mes capacités, j'ai répondu à Olivier l'après-midi même. « Mon petit Olivier, lui ai-je écrit, pourquoi ne pas se rencontrer à l'extérieur de l'école ? On pourrait discuter devant un café ou se promener sur le bord de la rivière. Enfin, tout ce que tu jugeras le plus intéressant. » Je faisais semblant d'être romantique, c'était mon guet-apens préféré. J'ai plié la feuille en seize et j'ai attendu qu'il se manifeste. Il affichait une gaîté inhabituelle et l'idée que notre amitié en soit la cause me flattait. Il souriait à ses voisins de pupitre, entrecoupait ses exercices de commentaires à l'un ou à l'autre. Le temps passait et il travaillait toujours. Les élèves qui venaient me consulter devaient me trouver bien distante. Il faut dire qu'on avait mis ça au clair plus d'une fois, l'accord des participes passés pronominaux et toutes les autres notions au programme. Je ne parvenais à me concentrer sur rien d'autre qu'Olivier. Les courants d'enzymes fluctuaient dans mon corps, une chaleur soudaine circulait à la surface de ma peau. En quelques secondes, la sueur de mes mains imprégnait les pages des cahiers. Béa, la grande blonde retardataire, fixait mes mains qui se baladaient nerveusement sur sa page d'exercices. Tout à coup, son matériel pédagogique lui devenait très cher. Je souillais ses petites productions et son avenir tout condensé sur la page qu'elle m'offrait.

— T'as des bouffées de chaleur ? qu'elle m'a dit.

Heureusement que cette chaleur me donnait un joli teint rosé. Et le rose, ça me va assez bien, merci.

Lorsque la période a été terminée, tous les élèves se sont précipités vers la sortie. J'ai demandé à Olivier de venir me voir avant qu'il ne disparaisse dans le corridor. Le sans-cœur s'en allait sans même me saluer. Qu'est-ce qu'il y avait donc dans cette tête d'écervelé ?

— Olivier, j'ai encore un billet pour toi et j'aimerais bien que tu me répondes.

— Oui, bien sûr, qu'il m'a dit en prenant le pli.

Victor est entré alors qu'Olivier se tenait toujours près de mon pupitre.

— Tu nous laisses, jeune homme ?

— Tu vois pas, Victor, que j'ai une discussion importante avec le jeune homme en question ?

Malgré les signaux de désespoir que j'émettais, Olivier en a profité pour s'esquiver avec sa réserve habituelle. Moi, je sentais l'agressivité monter en moi.

— Je crois que tu me dois quelque chose, n'est-ce pas ? m'a dit Victor.

— Je dois rien à personne.

— Allons, sois pas mesquine… T'as bien joui ce midi dans les toilettes. Il faudrait peut-être harmoniser nos pratiques. Kif-kif.

— Je sais pas… Trop d'insistance, Victor, ça me dérange.

— Sois pas susceptible, ma belle, tu vas voir, je serai super câlin avec toi, a-t-il ajouté en me caressant les cheveux que j'avais mis un temps fou à déplacer.

Il s'est penché vers moi pour me chuchoter d'autres niaiseries de même calibre ; je n'aimais pas son haleine.

— Il faut que j'y pense…

En fait, c'était tout pensé, il ne me restait qu'à trouver une raison diplomatique de m'échapper.

— Pour aujourd'hui, c'est non. Tu sais, moi, il faut vraiment me mériter… Et, mon petit Victor, je considère que t'es pas très gentil avec moi.

— Qu'est-ce qu'il faudrait que je fasse pour être plus gentil ?

Ses mains glissaient maintenant le long de mon cou et de plus en plus bas, à l'intérieur même de mon chandail. Il me tâtait discrètement de crainte que quelqu'un ne le prenne sur le fait, et c'était vraiment désagréable.

— Je sais pas, c'est peut-être foutu, nous deux, après tout, mon Victor, lui ai-je dit en me tortillant pour me libérer de ses attouchements.

Il pressait son corps en chaleur contre moi. Il fallait qu'il décharge, le saligaud, ça le torturait. Et moi, je pensais que bientôt j'aurais cinquante ans et un mois et que tout ce que j'aurais pêché, ç'aurait été ce brochet-là au lieu d'un joli petit alevin tel qu'Olivier.

Attendre la réponse d'Olivier m'a redonné courage. Je l'avais bien observé durant la journée et je l'avais trouvé beau, contrairement à l'impression qu'il m'avait laissée tout d'abord. Son visage me rappelait certains masques africains ; ses yeux sans joie, grands et avec de grosses pupilles noires, ses épaules larges, sa peau lisse de tout jeune homme, son air propret et puis cette mine si sérieuse, tout me plaisait maintenant. Je l'avais dévisagé sans retenue, indifférente aux autres élèves et à ce qu'ils pensaient de moi qui regardais Olivier.

Le lendemain, deux communiqués m'attendaient sur mon pupitre. C'était trop ! Je suis tombée tout d'abord sur un billet de Victor, que je n'avais pas prévu et qui me décevait beaucoup. Il m'écrivait les mêmes horreurs qu'il m'avait dites la veille : il se sentait floué, exploité. Une vraie chialeuse. J'ai chiffonné cette lettre et l'ai lancée dans le panier. Puis j'ai lu celle d'Olivier, que j'avais espérée toute la nuit. Les mots étaient ronds et pleins d'humour. La forme, que je veux dire. Et puis il y avait toutes ces fautes inouïes... Après avoir admiré la beauté toute naïve de cette lettre, je l'ai relue plus attentivement.

Olivier ne trouvait pas que se rencontrer était une bonne idée. Il s'inquiétait pour moi. Est-ce que je me mettais dans une situation trop risquée pour mon emploi ? Et puis il s'intéressait à ma vie privée. Pas de mari ? Pas d'enfants ? « Non, mon petit Olivier, je suis seule, que je lui répondais à part moi en lisant. Seule et libre, libre et seule et sans aucune crainte pour mon boulot. »

Il concluait sa lettre en me garantissant son amitié éternelle. Il préférait garder tout cela dans son cœur. Voilà. Dans son cœur. Et moi, son cœur, je m'en foutais. Cette lettre me rendait plus furieuse que la première. Est-ce que j'avais besoin de l'amitié d'un garçon d'à peine vingt ans ? Je n'aurais de paix tant que je ne serais pas soulagée. Une baise, deux ou trois peut-être, pas plus, et j'en serais guérie. Au mieux, on se dirait adieu dès la première fois, soulagés mais sans désir de poursuivre cette « amitié ». Il fallait qu'il me donne ma chance, qu'il m'offre cette occasion de m'apaiser et ainsi de poursuivre les grands changements de ma cinquantaine.

En cinquante ans d'existence, et en trente-cinq de vie active, je n'ai connu qu'une dizaine d'amants, c'est-à-dire un amant à tous les trois ans et demi. Une vraie misère ! Et si je pouvais en espérer jusqu'à l'âge de cinquante-cinq ou soixante ans, les probabilités de me trouver un amant se résumaient entre un et trois. J'effectuais tous ces calculs dans ma tête. Alice, qui me croyait nulle en maths, m'avait drôlement sous-estimée. Bref, il me restait peu de temps. Je voulais des amants et rattraper ce temps perdu. Et je ne comptais pas Victor dans la liste de mes conquêtes. Oh que non !

À la pause, Victor m'attendait au bout du corridor. Il m'a agrippée fermement par le bras et m'a tirée jusqu'aux toilettes. Je n'ai pas eu le temps ni la force d'éviter cet assaut et de le sommer de rabattre sa kalachnikov. Le local était exigu. J'étais coincée. Victor se doutait bien que je ne crierais pas de crainte d'alerter d'autres collègues ou même des élèves. Je n'aime pas qu'on se mêle de mes affaires.

— Victor, t'es complètement débile ! T'as toujours bien pas l'idée de me prendre de force !

— Tu me le dois, non ? Tu veux pas me le rendre ? Si j'avais su, je t'aurais jamais baisée.

Dans cet antre grisâtre, le plâtre des murs parés de crochets et d'accessoires de conciergerie s'effritait. Confinée dans un recoin de ce cubicule, mes cheveux voisinaient la tignasse crasseuse de la vadrouille. C'était lugubre.

— C'est moi qui ai été violé, profiteuse ! C'est toi la violeuse ! Tu veux jouer au mec ? Hein ? Tu vas voir ce que je fais aux mecs de ton espèce.

—Avec moi, Victor, on paie et on se ferme la gueule. Nous deux, c'est une erreur, on n'a pas la même mentalité.

—Ouais, mais maintenant, il faudrait bien que tu me le rendes, au moins une fois.

—Non, ce qu'il faudrait, c'est que tu paies encore, mais il se trouve que j'en n'ai pas envie, que je lui ai dit en le repoussant de toutes mes forces. Ni ce matin, ni demain, ni après-demain.

Je me suis retournée pour sortir des toilettes, mais cette vermine bactériologique s'est plaquée sur moi et m'a maintenue face contre la porte. Il a relevé ma jupe, défait sa braguette et curieusement... l'a remontée aussitôt. C'était un avertissement.

—T'es chanceuse que j'aie pas de condoms.

Il a rabaissé ma jupe et est sorti du local le premier, exaspéré et vaincu. Moi, si on veut m'affronter, on est mieux d'être bien armé. J'ai agrippé le lavabo pour ne pas m'effondrer et j'ai ouvert les robinets pour que le bruit de l'eau couvre mes gémissements.

Victor était le premier véritable contretemps dans ma démarche de changement qui s'avérait plus périlleuse que prévue. Cette aventure a jeté un froid sur mes projets. Je craignais qu'il ne m'accroche à nouveau, cette fois muni de son condom.

Je ne savais plus où aller, je suis restée aux toilettes même si la pause était terminée. Je considérais qu'on avait chapardé la mienne. Mon pouls battait jusque dans mes oreilles. J'ai passé de l'eau froide sur mon visage. Dans le petit miroir brouillé au-dessus du lavabo, j'ai essayé de décontracter mes muscles encore sous le choc. Quand je suis retournée en classe, je tremblais encore. À ma vue, les élèves baissaient les yeux comme si un spectre leur apparaissait.

Olivier était assis au fond de la salle comme d'habitude, il parlait avec sa voisine de pupitre, une petite Haïtienne en camisole un peu trop sexy à mon goût. Il riait avec elle. Il se transformait en accéléré, à croire qu'il souhaitait rivaliser avec moi sur ce terrain-là.

Je ne suis pas de nature jalouse, mais je crois qu'Olivier faisait tout pour aiguiser ma jalousie. J'avais beau me convaincre qu'il agissait ainsi pour attirer mon attention, ça m'attristait de le voir si gai. Il était combatif, Olivier, il voulait que je souffre, que par ma souffrance il me devienne plus cher encore. C'est ça que j'ai pensé. Et de fait, il me devenait très cher, je le concède. Toutes mes facultés intellectuelles étaient soumises à cette seule résolution de problème : contaminer Olivier du même foudroyant désir qui s'était emparé de moi.

Plus il riait avec la jeune fille, plus ma mauvaise humeur croissait. Surtout après cette expérience pénible avec Victor. Et puis son obstination à ne pas me fréquenter me rendait hors de moi.

□

Sa gaîté débordante a duré quelques jours. En fait, Olivier, d'ordinaire si réservé, commençait à dépasser les bornes de la bonne humeur et moi, en parfaite opposition, j'atteignais de nouveaux degrés d'irritabilité. D'ailleurs, Victor, qui s'en croyait la cause, supputait des problèmes en perspective. Il se tenait tapi, ignorant quand je chargerais.

— T'as une nouvelle copine ? ai-je demandé à Olivier qui était venu me voir pour des éclaircissements sur les figures de style, notions qui ne m'inspiraient guère plus que les participes et les propositions et dont la déclinaison des multiples variantes, croyait-il, lui garantirait une percée dans la sémantique nébuleuse d'un texte.

— Oui, c'est ça, une copine, rien de plus, qu'il m'a dit avec des yeux rieurs que je ne lui connaissais pas.

Ses pupilles, qui d'ordinaire s'apparentaient aux cratères tranquilles de la lune, brillaient comme des étoiles. Voulait-il me rassurer, me signifier que j'occupais une place privilégiée dans son cœur, comme il me l'avait si bien écrit, et que je n'avais pas à m'inquiéter de ses nouvelles amitiés ?

— Et t'en as beaucoup, de copines ?

— Pas beaucoup.

— Et moi, j'en suis une, de tes copines ?

Copine. Ce terme ne convenait pas, pas à une femme telle que moi. J'ai eu beau insister pour qu'il me considère comme sa copine, en toute simplicité, il a rejeté ma proposition par respect pour moi. Ce garçon était franchement borné. La respectabilité, c'était le dernier principe auquel j'adhérais.

J'aspirais moi aussi à plus de gaîté, je me suis dit qu'il était temps que je passe à une nouvelle étape dans mon processus de changement. Ouais, le mieux, c'était d'envoyer Victor et Olivier aux oubliettes et de m'engager plus avant dans mon affranchissement personnel. Et le seul moyen d'accomplir ce revirement était de recentrer ma redoutable énergie sur quelqu'un d'autre. Si Olivier se permettait des familiarités avec ses copines, je pouvais bien en faire autant avec d'autres garçons.

Toujours assis près de la porte pour effectuer ses multiples déplacements, il y avait le grand Stan. Un vrai loupiot que je devais contrôler à longueur de journée. Si je le laissais faire, tout le personnel affecté aux miradors (espions, patrouilleurs, sycophantes et autres) rebondissait dans ma classe, menaçant. Je lui ai donné un rendez-vous à la bibliothèque, prétextant un suivi disciplinaire l'après-midi même. Il faut bien se changer les idées.

Le midi, dans la salle des profs, on discutait encore des peccadilles habituelles. J'ai aspiré deux litres d'oxygène pour supporter les aventures de Wolf et de l'autre canin édenté, ainsi que des problèmes de géométrie telle que la répartition dans l'espace de trente-deux parties mobiles de poids variables. Pas de l'irrigation des sols essorés au napalm ou du transit des broncho-dilatateurs entre Niamey et Abuja. À croire que j'étais la seule confrontée aux vrais problèmes existentiels, sociaux ou cosmogoniques. Une véritable Atlas condamnée à supporter la misère du monde pendant que les autres dansaient la lambada en dessous du tropique du Cancer.

— Trente-deux élèves par classe… ça s'endure, trente-deux par classe ?

— Je m'endure pas moi-même, je suis à bout.

Ça m'est sorti tout seul. Moi, je ne tenais plus le compte de mes élèves, je prenais ce qu'on me donnait parce que ma tête était occupée ailleurs. Ce n'était pas le genre d'équation qui me faisait vibrer.

— Tu te rendras pas à Noël, ma pauvre !

— Il me reste seulement deux jours dans ma banque de journées de maladie, a dit Alice.

— Justement, parlant de maladie, vous avez remarqué que Vladim est pas mal malade ? a dit Luc. D'habitude, il n'utilise jamais sa banque de journées de maladie.

C'est plutôt un signe de santé que de profiter des journées auxquelles on a droit. C'est ce que je pensais, mais Luc souffrait d'abandon et il préférait s'imaginer Vladim avec cent deux de fièvre que relaxant tranquillement seul chez lui ou en bonne compagnie.

— Moi, je l'observe depuis un moment et je ne serais pas surpris qu'il nous prépare un *burn-out*. Tout le monde souffre de ça, a dit le conseiller, que je soupçonnais d'en étudier les causes et symptômes pour son usage personnel.

— Lis donc le journal, tu vas voir ce qu'est souffrir.

C'est ça que j'ai dit, révulsée par sa mesquinerie primaire. Je lui ai tendu *The Gazette* parce que je me réservais *La Presse*.

— Est-ce qu'il y a seulement *The Gazette* ? a-t-il demandé parce que ses compétences en anglais étaient plutôt limitées. Il y a trop de journaux anglais et pas assez de français. Faudra remédier à ça.

J'ai haussé les épaules. Patricia et moi, nous avions une priorité sur les journaux français vu notre matière d'enseignement. Les autres devaient se rabattre sur *The Gazette*. Leur problème ne me regardait pas, chacun faisait son affaire.

— Moi, j'ai trente et un pupitres, je peux pas caser trente-deux élèves, a poursuivi Patricia.

— J'ai trente-trois pupitres, je pourrais bien t'en refiler un, que j'ai dit pour qu'elle se taise parce qu'elle dérangeait mon découpage, mon triage d'éditoriaux et le semblant de paix intérieure que j'essayais d'édifier dans la cohue.

— Ce qui frustre le plus, c'est qu'on se tient pas, m'a-t-elle répondu, furieuse contre moi.

— On ne pense pas tous de la même façon, a dit Luc.

— C'est pas une raison, a ajouté Patricia.

— Si tu lis *The Gazette*, tu penses pas comme si tu lis *La Presse*. C'est sûr, a affirmé Alice.

— Ouais, mais moi, je lis *La Presse*.

Patricia, qui s'était donné une mission éducative, souffrait de la nonchalance généralisée de ses acolytes, et sutout de la mienne.

— Les quotas sont les premiers préalables à un enseignement convenable, qu'elle m'a dit.

Victor se tenait coi. Il avait peur que je le dénonce. Le remords commençait à le chipoter, lui la grande gueule, toujours goguenard. Et Luc, qui angoissait dans sa solitude, l'a pris en pitié.

— T'as vu l'annonce sur le yogourt ? qu'il lui a demandé en constatant qu'il broyait du noir. Elle est vraiment drôle.

— On n'a plus le yogourt qu'on avait. C'est rendu de la mousse, un dérivé de yogourt, a renchéri Alice qui opinait à tout ce que disait Luc… qui ne s'intéressait pas à elle… parce que Vladim… et ainsi va la vie.

On en était rendu là. Après le macaroni, le yogourt. Aucune publicité ne m'avait fait rigoler depuis mon enfance. Même môme, j'ai toujours vu clair dans les manigances de ces conspirateurs. Souvent, ma mère me suppliait de me décontracter parce que je lui gâchais sa soirée de télé. Je hurlais, moi, et il m'arrivait souvent de couper court à son plaisir aliénant. J'appuyais sur le bouton de cette grande gueule ou j'arrachais le fil à la prise, en furie. Et puis, cette pub où un corniaud se gave dans le yogourt d'un garçonnet qui s'époumone m'irritait particulièrement.

— Moi, je préfère l'annonce sur le lait, a dit le conseiller qui n'avait d'opinion que sur des broutilles de ce genre.

Le téléphone a sonné au moins cinq coups, mais personne ne voulait quitter son fauteuil pour se faire confirmer son rendez-vous chez le dentiste ou que les manuels FRA4061 étaient enfin disponibles au magasin scolaire.

— Je ne supporte pas le lait. En vieillissant, je le digère de moins en moins, a poursuivi Luc.

— Moi aussi, j'ai des problèmes d'estomac.

— Prends des Buds, c'est imbattable.

— T'écoutes trop la télé.

— Pourtant pas tant que ça.

La sonnerie a retenti à nouveau et le conseiller qui s'était levé pour nettoyer son bol maculé de sauce chasseur a finalement répondu un « oui » entremêlé d'un rot profond. Il était attendu au bureau de la direction.

— Je connais un truc écœurant, a continué Alice. Tu prends des poireaux...

— La recette de la semaine maintenant ? a dit Victor qui est finalement sorti de son mutisme, car il ne supportait pas les conseils culinaires d'Alice qui se situaient à l'extrême opposé de ses habitudes alimentaires.

— T'occupe pas de lui, Alice.

— Tu les fais fondre dans du beurre, tu ajoutes l'ail, les raisins secs. Tu recouvres un tortilla de ce mélange et tu parsèmes le tout de fromage de chèvre. Tu m'en donneras des nouvelles.

— Compliqué ! Moi, j'ai personne pour me préparer des lunchs. Puis je suis pas une bonne cuisinière.

— Le bulbe de fenouil cru, c'est super et pas compliqué. Ç'a toutes sortes de bonnes vertus.

— Ah oui, lesquelles ? que j'ai demandé au cas où ces vertus pouvaient m'être utiles. Bien que... les vertus...

— Je m'en souviens plus.

Stan m'a rejointe à la bibliothèque à l'heure prévue. Il gigotait sur sa chaise. C'est sûr qu'il aurait préféré être ailleurs. Moi, je l'observais, calme, avec l'air de maîtriser la situation, prête à entreprendre une relation pédagogique d'un niveau supra-professionnel.

— Depuis combien de temps es-tu ici ?

— Qu'est-ce que tu veux dire ? À Montréal ou à l'école ? qu'il m'a dit en se tortillant sur sa chaise.

Il regardait le plafond ou les allées de livres qu'il ne fréquentait jamais et qui d'ailleurs contenaient zéro ou un bouquin recommandable.

— Qu'est-ce que tu veux faire ? C'est quoi ton projet ? lui ai-je demandé comme si ça m'importait, enfin à ce moment-là parce qu'il m'arrivait d'avoir une conscience professionnelle et de m'intéresser à leur « futur ».

— Là, là ? Tout de suite ? Ben avoir mon diplôme.

Toujours le même scénario. Un diplôme en quoi ? J'avais envie de lui en dessiner un pour qu'on règle le problème.

Entre chaque question, je prenais une pause pour lui envoyer des messages subliminaux. Je ne doutais pas qu'il eût les capacités de les comprendre. Ce qui se dégageait de ce garçon m'incitait à croire qu'il avait l'esprit ouvert à certains divertissements. Malgré tout, il trouvait cette entrevue un peu longue parce qu'il n'osait pas imaginer que j'irais au bout de mon fantasme. Et son va-et-vient sur la chaise de plus en plus vigoureux le mettait carrément en péril.

Quand il a compris de quoi j'étais capable, son balancement a stoppé net.

— Quel âge as-tu ? que je lui ai demandé d'une voix plus feutrée que je ne l'aurais voulue tout d'abord.

Sa réponse dépassait les limites que je me serais fixées, si je m'en étais fixé. Il était trop jeune. Alors j'ai reluqué le décor moi aussi parce que je considérais cet entretien terminé : *L'Encyclopédie de la jeunesse, 1974;* la série *Dolly* au grand complet ; *Contrôle de soi et réussite.*

Quelques bribes de lucidité m'ont effleurée. Je me moquais de moi-même. Il était à peine majeur.

— C'est pas grave, tu sais.

— Pas grave ?

Je me mordais les lèvres pour ne pas dire de bêtises. Le petit, il n'avait rien perdu de ce qui se tramait. Lui, si cancre d'ordinaire, dominait maintenant la situation. Il tenait les rênes. J'ai senti sa jambe qui frôlait la mienne.

— Dix-huit ans, oui, c'est grave.

— Je suis majeur.

— Depuis hier ?

Sa jambe coulait sur la mienne, la mienne ne se défilait pas. Et ça faisait naître mon fichu désir maladif, ouais, il s'installait là dans mon ventre. Mon désir urgent, dévastateur. J'ai caressé sa jambe. Mon pied a glissé le long de sa cuisse, a tâtonné son sexe. Il a empoigné mon pied et l'a pressé sur sa verge gonflée.

— Et moi ? Qu'est-ce qu'on fait de moi ?

Durant un instant, j'ai compris le manque qu'avait ressenti Victor, alors que pendue à mes crochets à balais, je jouissais.

— Si tu n'as pas de solution, pars immédiatement, lui ai-je dit. Je suis en panne sèche, moi, j'ai pas d'idée.

Aller aux toilettes avec lui ? Se cacher au fond d'une rangée de livres ? Je me suis levée pour vérifier que la porte était bien verrouillée. Puis je suis passée derrière le garçon, me suis penchée vers lui, ai pris sa main, l'ai mise sous ma jupe, dans ma culotte. Toutes les audaces m'étaient permises. Je l'embrassais tout en effectuant mes manœuvres. Il a glissé ses doigts entre mes lèvres, sur mon clitoris, et l'a frotté pendant que je suçais ses lèvres, sa langue et que je le caressais par-dessus son pantalon. Il avait du doigté et je me tordais en huit. J'ai joui dans sa main de gamin et lui dans son pantalon.

Cette petite aventure avec Stan m'a retapée. Une cure de jouvence n'aurait pas eu de meilleurs résultats. Je n'aurais pas pensé comme ça à vingt ni à trente ans. Je méprisais alors tous les Stan de la planète. Mais à cinquante ans, plus indulgente, l'esprit plus ouvert, plus tolérante, moins pointilleuse, moins dépendante des autres, plus libre, à cinquante ans, j'appréciais ce jeune homme pour ce qu'il était. Et plus curieusement, je réalisais qu'un jeune homme m'était accessible. Cette idée m'a frappée comme une révélation pleine de promesses, une possibilité de combler mon absence de profondeur ou de spiritualité, enfin tout ce à quoi on s'accroche quand le corps nous laisse choir.

Stan n'a pas cherché à me revoir à la bibliothèque et ne m'a fait aucune allusion sur cet épisode par la suite. La distinction même, le savoir-faire d'un redoutable futur don juan.

Pourquoi m'entêter et ne pas avoir choisi de me satisfaire auprès d'un homme de mon âge ? Et si je poursuis ce raisonnement, pourquoi ne pas avoir satisfait Victor ?

Victor… il fallait éliminer cette option car, physiquement, il ne m'attirait pas. Tout chez Victor me révulsait, sa peau moite et velue, son visage râpeux.

Enfin, ce qui se dégageait d'un homme comme Victor m'apparaissait fort détestable alors qu'un jeune homme, qui possédait par définition toutes les caractéristiques contraires, m'attirait au plus haut point. Ce qui s'estompait sur ma propre personne, je le convoitais sur des corps plus jeunes.

J'ai passé une bonne partie de la soirée à mariner dans un bain à l'huile parfumée. Je ne voulais surtout pas dégager l'odeur aigrelette de Victor. Avant de me rhabiller, je me suis bien regardée dans ma psyché. En me fixant ainsi, je me suis perdue dans mes pensées. Vraiment perdue. Les mains de Stan s'entremêlaient à celles d'autres jeunes hommes. Et lorsque je suis revenue à moi, j'ai eu cette vision : celle d'une femme désirable à la silhouette encore jeune.

J'ai collé mes lèvres maquillées sur mon reflet, et la dureté de la glace m'a rappelée à ma solitude.

Chapitre 4

AVEC MA PETITE ANNONCE sur le babillard de l'école, les réponses n'ont pas tardé. Quand j'ai vu Ranidirenthza, une Pakistanaise élevée au Burundi qui avait transité par la Syrie avant d'aboutir au Québec il y a deux ans, je l'ai engagée sur-le-champ. C'était une fille qui traînait ses pieds, avec une bouche molle et des paupières lourdes. Je lui ai fait confiance immédiatement.

Sur le coup, je n'ai pas su quoi lui demander. La propreté des lieux, bien que superficielle, l'a étonnée, mais je n'ai pas osé lui dévoiler, dès sa première visite, la profondeur du problème, qui dépassait le nettoyage des armoires et des appareils électriques.

— Tout est si propre, Madame, il faut m'en laisser un peu, m'a dit Rani en inspectant les lieux.

Je lui ai servi un café en lui promettant d'en faire moins la prochaine fois, et j'avais l'intention de tenir parole.

Comme je n'avais pas souvent quelqu'un de terrain sous la main, c'est-à-dire un témoin privilégié des intrigues internationales, j'en ai profité pour discuter de l'état du monde.

— Parle-moi de toi. Que penses-tu de Musharraf? Selon toi, est-il de mèche avec les talibans?

— Vous savez, j'ai quitté le Pakistan à l'âge de trois ans…

— Et au Burundi, comment ça se passe ? Quel est le parti au pouvoir ?

— Ben, vous savez, je ne suis pas trop la politique...

— Alors pourquoi avoir immigré en Syrie ? Ton père était envoyé par le gouvernement pakistanais ?

— Mon père était déjà mort à ce moment-là et ma mère est Burundaise.

— Musulmane ?

— Non pratiquante.

— Espionne ?

— Non, travailleuse saisonnière dans les oliveraies.

— Approchée par une filière syrienne installée au Québec ?

— Parrainée par son frère qui a un nettoyeur dans Parc-Extension.

— Exploitée par ce dernier, qui la fait travailler au noir ?

— Serveuse dans un restaurant italien.

La fille était forte. Avant qu'elle ne parte, j'ai insisté pour qu'elle me tutoie. Je cherchais un moyen d'entreprendre une conversation plus intime avec elle, car je pensais l'utiliser à plus d'une fonction.

— Quel âge crois-tu que j'ai ?

C'était MA question. Histoire de voir la réalité bien en face.

— Je ne sais pas moi, cinquante peut-être.

J'étais toujours déçue de la réponse, mais il fallait que je récidive, c'était plus fort que moi.

— Et pour toi, cinquante ans, c'est très vieux, j'imagine.

— C'est moyennement vieux, a-t-elle répondu, prudente.

— Tu sortirais, toi, avec un homme de cinquante ans ?

— Je sais pas.

— Tu ferais l'amour avec un homme de cinquante ans ?

Je ne prenais pas de détours, mais il valait mieux l'introduire à son nouveau service. La fille s'est mise plus à l'aise en voyant maintenant à qui elle avait affaire et m'a alors tutoyée.

— Je n'ai jamais pensé à ça. Règle générale, je fréquente surtout des gens de mon âge, tu sais, m'a-t-elle dit en articulant à peine ses mots.

— Et tes copains, ils ont des aventures avec des femmes plus vieilles ?

Rani me regardait, médusée. Est-ce que je voulais lui faire la morale ou assouvir une perversion quelconque ?

— Bon, c'est tout ?

— Excuse-moi, que je lui ai dit pour la rassurer et éviter qu'elle n'aille dévoiler à ses copines les dessous de cette rencontre, je n'ai jamais eu d'enfants et j'ai de la difficulté à comprendre la psychologie des adolescents. Il y a une élève qui m'a confié avoir des relations sexuelles avec un homme beaucoup plus âgé. Je n'ai pas su quoi lui conseiller. Tu comprends, je ne sais même pas si c'est une pratique courante.

Ma petite astuce a marché plus que je ne l'espérais. Rani s'est rassise et, au fond, je le suppose, ça l'amusait autant que moi, cet entretien inopiné.

— Tu sais, moi, ça me concerne pas, mais il y a bien des gars à l'école qui sont amoureux de professeurs.

Je réfléchissais sur la façon de lui soutirer des noms, car la discussion prenait une tournure plus croustillante.

— Ah oui ! Mais des jeunes filles ? ai-je ajouté pour mieux camoufler le but de mes questions.

— Ça, je l'ignore. Je sais qu'il y a des profs qui s'intéressent à des filles. Mais, en général, elles s'en moquent.

— Ah...

Comme c'est bizarre, ai-je pensé, tout le contraire de ce qu'on s'imagine. Si un garçon lui avait parlé de moi, je crois que je l'aurais deviné au timbre de sa voix ou à l'expression de son visage. Comme elle n'avait rien laissé paraître, j'ai conclu que je ne faisais pas partie de ces professeurs sur lesquels fantasmaient les garçons de son entourage. Pourtant, l'inventaire de mes collègues féminines n'en révélait aucune digne d'insuffler de tels sentiments amoureux.

— Et puis, a-t-elle ajouté, on parle pas que de ça, tu sais. As-tu un garçon en tête ?

Cette question m'a paralysée un instant. J'avais failli me dévoiler bêtement devant cette petite bavasseuse.

— Quelle idée, tu me vois sortir avec un garçon ?

— Pourquoi pas, qu'elle a dit en haussant les épaules. T'es assez jolie. T'as pas l'air si vieille.

— « Si vieille », qu'est-ce que ça veut dire pour toi ? Si vieille pour cinquante ans ?

— Je sais pas, moi.

Elle s'apprêtait à partir, on avait fait le tour du sujet. Je l'ai retenue par le bras quelques secondes. Je cherchais quelque chose à ajouter pour la retenir.

— Tu reviens samedi prochain ? lui ai-je demandé en lui tendant deux billets de vingt dollars pour cette conversation.

— Ouais, qu'elle a répondu en empochant l'argent.

Tout ce que j'avais vécu ces derniers jours aurait dû me réjouir. Maintenant que s'entrouvrait la possibilité de multiples rencontres, que s'étalait devant moi l'éventail des jeunes hommes que j'avais à conquérir, j'aurais dû respirer plus calmement. Non. J'ai passé le reste du week-end, angoissée et de mauvaise humeur. Je pensais à Olivier qui s'épanouissait de jour en jour ; lui si sombre et si sérieux auparavant, il devenait rieur, plus dégagé et plus entreprenant. Il prenait de l'assurance auprès des filles. Notre amitié le libérait de ses inhibitions. C'est ça qui m'inquiétait, qu'une pure étrangère ramasse le fruit de mon travail. Le matin, il me saluait tout haut en passant devant mon pupitre. Je ne l'intimidais plus, mais il ne me donnait plus ses poèmes à lire. Les poèmes d'amour d'Olivier dont le charme naïf m'envoûtait, comme si le vaudou s'était mis de la partie. Au fond, ce garçon avait peut-être du génie.

Il ne rentrait pas dans mon programme de m'attacher si exclusivement à quelqu'un, car je l'admets sans détours, mes visées étaient purement sexuelles. Et ma fixation sur Olivier constituait une entrave à mon épanouissement. Corporel, devrais-je préciser. Quand on enseigne, on oublie son corps, on est tellement absorbé par son travail. C'est peut-être vrai pour d'autres professions, mais les autres… je ne les connais pas. Moi, quand j'ai commencé à enseigner, j'ai découvert la possibilité d'oublier mon corps. Ça me plaisait. J'apportais le « don de moi » en offrande. Et mon corps ainsi allégé par ce don flottait allègrement dans diverses positions totalement improvisées. Grimaces, gestuelle, éloquence fusaient de mon corps qui faisait le « don de moi ». À vingt ou trente ans, on peut se permettre de nier son corps pour un temps.

Puis j'ai rapatrié ma carcasse alors qu'elle commençait à s'abîmer : maquillage, poses plus étudiées, contrôle de la voix et des mimiques. Plus question de m'abandonner sous le regard des autres, fini le « don de moi ».

Redécouvrir son corps à cinquante ans, c'est tard, mais peut-être pas trop tard. On ressent à cet âge-là l'urgence de la situation. C'est presque la panique, que je me disais devant la psyché de ma chambre. Dans quelques années, je regretterai mes cinquante ans. Ce corps de mes cinquante ans recelait lui aussi un charme dont je devais user.

Dans l'affolement, j'essayais de suivre une pensée, mais cette pensée se décomposait invariablement en une multitude d'autres, dont les mots ronds et maladroits qu'Olivier avait écrits sur cette feuille qu'il avait déposée sur mon pupitre. Ces mots d'excuse pour fuir, pour camoufler ceux qu'il n'osait m'avouer. Mais à cinquante ans, on ne vit pas de suppositions. Aussi ai-je résolu, devant cette glace, alors que j'avais les deux seins dans mes deux mains, d'exiger de lui des précisions, au risque de l'embêter. D'ailleurs, ce risque, cet embêtement, m'aurait délivré de lui. Il marchait sur la corde raide, ce jeune homme… Enfin, s'il tenait réellement à notre amitié.

Alors que j'étais toujours devant mon miroir, le téléphone a sonné. La sonnerie m'a sortie de cette torpeur dans laquelle m'avaient plongée mes pensées. J'ai nagé à contre-courant jusqu'à moi debout dans ma chambre et je suis allée répondre. C'était Victor.

— Tu sais, si tu te sens seule, je peux venir te voir, me disait-il, tu verras, je peux être tendre. Moi, je suis sans rancune. Et je suis prêt à ce qu'on recommence, qu'on passe l'éponge sur ce qui s'est passé.

Je n'avais pas entendu pareilles sornettes depuis que ma mère avait opté pour un retour volontaire aux sources, ouais, qu'elle avait avalé sa demi-tonne d'anti-dépresseurs pour passer la frontière en rigolant parce que soi-disant je la faisais mourir. J'ai trouvé le courage de remercier Victor de ses attentions et l'ai prié de me laisser à ma solitude. Il ne s'est pas obstiné. Il a senti que mes réserves s'épuisaient, et je pense qu'il a eu pitié de moi.

Je me suis réveillée en pleine nuit. Le cadran indiquait trois heures et demie. Des larmes coulaient sur mes joues. Il y avait au moins vingt ans que je n'avais versé une larme, et voilà que je sanglotais presque tous les jours. Je ne m'ennuyais pourtant pas de maman.

Chapitre 5

José était appelé régulièrement pour les remplacements en mathématiques et Victor le considérait comme un rival potentiel. C'est normal, José avait à peine trente ans et était gentil comme tout. Les élèves l'adoraient, et quand l'amour des élèves est monopolisé par un des nôtres, les chances que les autres profs en subissent les contrecoups sont énormes. Les comparaisons fluctuaient à la vitesse des ragots et Victor n'était pas sûr de sortir indemne de ce commérage pernicieux. T'as vu ses belles mains ? Alors que les pattes tripoteuses de Victor... C'est ainsi que s'amorçaient les invasions, les guerres et l'insidieuse mainmise de celui qui se croit lésé.

— Tu bouges ? que lui a lancé Victor.

— Hein ?

— C'est ma place.

— Mais il n'y a personne à côté.

— Oui, mais c'est ma place.

— On a une place ?

— T'es le seul à n'avoir jamais compris qu'on a tous notre place ici.

— Pis où est-elle, ma place à moi ?

— À toi de la faire. Mais pas dans les plates-bandes des autres.

— Qu'est-ce qu'il reste comme place ?

Victor a inspecté la salle déserte. Il n'y avait que moi installée dans un coin avec mes journaux et mes ciseaux. J'avais découpé un article dans la section « Économie » de *La Presse*, et je me préparais à répondre à ce chroniqueur vert-de-grisé qui tentait de me démontrer sur une pleine page les risques financiers d'une hausse du salaire minimum, avec tableaux de statistiques truquées pour mieux m'illustrer son raisonnement abscons, dont j'avais décelé, depuis quelques semaines, l'imprégnation des courants ultra-oligarchiques sur les esprits faibles de nos dirigeants scolaires. Ce n'était pas un travail facile et Victor bousillait mon fil conducteur.

— Y en a plus beaucoup, qu'a dit Victor en parlant des places disponibles.

— Alors je peux emprunter le siège de quelqu'un qui n'est pas là, comme celui de Vladim, par exemple ? a suggéré José.

— C'est pas ainsi que ça doit se faire.

— C'est hallucinant. Vraiment, Victor, c'est fou !

— Pas du tout, je suis pas plus fou que toi.

Finalement, trop perturbée par les simagrées de Victor, j'ai décidé d'attendre à la bibliothèque le début de la période pour réfléchir plus avant sur l'engraissement du PIB parallèlement à celui du grand patronat et de sa dame patronnesse. Ce n'était pas vraiment dans mes habitudes de croupir vingt minutes pour rien dans cette salle qui sentait le papier moisi et les pavés pourrissants. Mais j'ai eu du flair, car Olivier, qui traînait dans le corridor, est venu m'y rejoindre. Il s'est assis à l'autre extrémité de la longue table de lecture. Ça m'a mise de bonne humeur. La présence d'Olivier, là, maintenant, m'apportait un profond soulagement. Mes inquiétudes de la veille paraissaient lointaines et sans objet. Et puis mon commentaire à ce journaliste véreux pouvait bien attendre quelques heures, il ne me tiendrait pas rigueur de ce délai. Cette gaîté-là que je ressentais m'a incitée à dire des phrases qu'autrement j'aurais refoulées. Ça, c'est sûr. Je n'étais plus maîtresse de rien.

—Allez, viens, viens plus près. N'aie pas peur. Sois pas timide.

Ces mots sortaient de ma bouche et me surprenaient moi-même. Une vraie possession. Tant d'audace ! « Sois pas timide… » Quelqu'un d'autre m'avait déjà dit ces mots-là. Ça m'avait plu. Et voilà qu'à mon tour je les prononçais. « Sois pas timide… » Ces mots d'une grande sensualité avaient électrisé ma couche dermique. Maintenant, je les répétais avec ce sourire, que j'avais adopté pour entamer positivement ma cinquantaine, mais que je remisais à tout bout de champ, c'est-à-dire quand on me heurtait de front, qu'on me tirait par les pattes hors de ma tranchée, juste au moment où j'avais résolu de ne plus me battre.

Olivier s'est approché.

—Allez, plus près encore.

Il s'est exécuté et je me suis étirée jusqu'à ce que mon visage soit tout près du sien, que mes lèvres frôlent les siennes. J'imagine qu'il était surpris, mais il se laissait faire, sans broncher. Puis, il a fermé les yeux et a reçu un léger baiser.

—Il y a longtemps que j'ai envie de ça. Et toi ?

Il a relevé les paupières ; ses prunelles baignaient dans un lait clair. J'aurais voulu y plonger.

—Je sais pas… non, je crois que je n'y avais jamais pensé. Je savais pas qu'un prof… qu'une prof…

—Quoi, une prof ? T'es majeur, alors qu'est-ce qu'il y a de mal ? Qu'est-ce qu'il y a d'impossible ?

C'était quoi, ces interdictions qui refluaient de nulle part ? Je n'avais jamais prononcé de vœux, moi, en signant mon contrat.

— C'est curieux, car j'étais certaine que c'était toi qui avais commencé.

— Commencé quoi ?

— Avoue que tu rumines ça depuis longtemps. Ta façon de me regarder, les textes que tu me fais lire.

— Non, vraiment, je ne me doutais de rien.

— Alors, tu insinues que tout ça s'est passé dans ma tête… Mais tu m'insultes, mon petit. Si je comprends bien, tu ne m'as jamais désirée ? que je lui ai dit sur un ton taquin parce que je ne le croyais pas, ce petit gars-là.

À quoi il joue, ce bêta ? que je me disais. Il ment. Voilà que je lui tombe dans les bras et il fait le fier.

— Je t'assure que, pour moi, il n'y avait que de l'amitié. J'aime bien me confier à toi. C'est tout.

Il se protégeait parce qu'il avait peur, j'en étais convaincue. Ça doit être énorme quand ta prof de cinquante ans veut baiser avec toi, un petit gars de vingt ans. Énorme ! Notre petit jeu m'excitait terriblement. Cette intimité avec mon ami Olivier me troublait, de l'encéphale jusqu'à la pointe de l'urètre.

— Oui, tu as raison, et je tiens plus que tout à cette amitié. Va, mon grand. C'est ça, va, va ! que je lui ai dit sans conviction, mais un peu exaspérée.

Il n'a pas quitté son siège. Il est resté là tout près de moi. Il était venu pour se confier.

— Bon, d'accord, je n'ai pas dit toute la vérité. La vérité, c'est que, oui, j'ai pensé à toi. Malgré moi. La nuit, j'ai rêvé parfois à toi, et le matin… j'avais le pantalon de mon pyjama tout mouillé.

Pour moi, c'était toute une confidence. Je trouvais ça… stupéfiant ! Il était plus audacieux que moi, le petit !

— Mais ce n'est pas de l'amour, ça, a-t-il précisé.

« Pantalon de pyjama tout mouillé », on ne m'avait jamais avoué une chose comme celle-là. Mon « sois pas timide » paraissait drôlement timide maintenant.

Je recevais ces mots comme un hommage, le pyjama souillé comme un petit cadeau. Ce garçon avait rêvé à moi. Pas de l'amour ? Je n'étais pas tout à fait d'accord. Pour moi, c'était bel et bien de l'amour, et qu'Olivier appelle ça autrement ne me dérangeait pas tellement. L'amour, comme les autres nobles sentiments, avait passé dans mon moulinet pour en ressortir tout frais, tout inédit et franchement lubrique. L'amour, l'amour… Qui décide de ce qui en est ou n'en est pas ?

Aussitôt qu'il a quitté la bibliothèque, j'ai retenu un long cri dans ma gorge. Pourtant, à partir de cette déclaration, s'est amorcée ma déroute. L'aveu d'Olivier avait inoculé en moi les germes de ma nouvelle maladie. Et comme je guerroyais trop souvent, je n'avais rien pour me soigner. J'ai terminé ma lettre au chroniqueur qui publiait ses revendications haineuses tout juste sous les photographies de soldats croupissant dans des non-lieux grillagés et de victimes civiles jonchant le sol de bâtiments décrépis. Ça ne le gênait pas puisque la même histoire se répétait chaque semaine.

D'autres que moi dans cette école vivaient sur la ligne de feu. Certains s'estropiaient au combat parce qu'ils s'aventuraient sans protection, eux si fragiles. À preuve, l'absence prolongée de Vladim.

— Ça commence à faire longtemps qu'on n'a pas vu Vladim.

— Malade ?

— Très malade !

— Ah oui ? Quoi donc ?

— J'en sais rien, mais absent presque une semaine, c'est beaucoup.

— Approchez, je voudrais pas qu'on m'entende... Je suis passé chez Vladim hier soir : il n'a rien.

C'est ce qu'a dit Luc qui trouvait la semaine longue sans Vladim.

— ...

— Je crois qu'il est tout simplement déprimé, mais il dit qu'il ne veut plus revenir.

— Est-ce qu'il a averti la direction ?

— Non, il a pas téléphoné.

— Ils vont le foutre à la porte ! Il faut faire quelque chose.

— Qu'est-ce qu'il fricote toute la journée ?

— Il fait rien. Rien. Enfin, un peu de bricolage, à ce que j'ai compris. Mais en fait, je n'ai rien compris.

Et ça devait l'ébranler, Luc, de ne rien comprendre. Il essayait de quantifier l'espace qu'il occupait dans l'existence de l'autre ; chaque jour, il effectuait des révisions à la baisse. Heureusement qu'il existe l'infiniment petit.

— Qu'il aille voir son médecin, il va arranger ça.

— Il veut pas.

— C'est idiot, il court après les emmerdes.

— Mais toi, José, t'as remarqué quelque chose dans sa classe ? Enfin, les élèves sont pas trop difficiles ? s'est inquiétée Patricia qui croyait que les virus comme les perturbations atmosphériques découlaient de nos conditions de travail.

José ne se plaignait pas trop. Pour lui, tout était OK. Le remplacement lui convenait parfaitement. Les remplaçants plaignards ne faisaient pas long feu à l'école et José souhaitait s'implanter dans le système, lequel lui concoctait sûrement une place dans les loges réservées aux gentilles recrues de son espèce.

— Moi, je suis convaincue que le comportement de Vladim est la conséquence des classes qui débordent, a conclu Patricia qui jurait qu'on faisait tous partie d'un contingent parachuté en zone contaminée. Aujourd'hui Vladim, demain…

Moi qui ne dédaignais pas pratiquer la dialectique sur le dos de certains de mes collègues, je me demandais parfois si elle-même ne constituait pas un contaminant majeur.

□

J'avais réitéré mon invitation à Olivier lors de notre entretien à la bibliothèque. Cette fois-ci, pas de promenade, pas de café ; je lui ai proposé qu'on se rencontre dans un endroit plus discret. Toutes ces stratégies pour baiser avec Olivier commençaient à me donner des sueurs. Tant que je ne serai pas satisfaite, je n'aurai pas l'esprit tranquille, que je me disais, bien que j'entrevoyais mal quand cette tranquillité, cette grâce, descendrait sur moi.

On a comploté discrètement en catimini durant la période de l'après-midi. Il était d'accord pour tout. Curieusement, il n'avait plus aucune réserve, même qu'il a suggéré qu'on se rencontre chez lui, sa logeuse travaillant jusqu'à six heures tous les jours. Ça me convenait parfaitement, j'aimais autant qu'il ne sache pas mon adresse. Je n'avais pas l'intention de l'introduire chez moi tout de go.

Vivement qu'on règle la question, qu'on crève l'abcès pour passer à autre chose et qu'on apaise les démangeaisons superficielles – le reste est incurable. On s'est fixé rendez-vous à quatre heures à quelques rues de l'école. Ça nous donnait juste assez de temps pour nous satisfaire et juste assez pour ne pas nous ennuyer. Lorsque je suis arrivée au coin de rues que nous avions choisi, je n'ai pas vu Olivier. J'avais espéré qu'il s'y rende un peu à l'avance pour me montrer son empressement, comme Victor l'avait fait en se rendant vingt minutes trop tôt dans les toilettes. Après avoir attendu presque une demi-heure en double et encaissé les invectives de chauffeurs furieux d'exécuter un simple dépassement, j'ai finalement décidé de rentrer chez moi.

À quelques rues de là, Olivier attendait ou l'autobus ou moi. J'ai klaxonné et il est venu me rejoindre dans la voiture. Monsieur s'était trompé de coin de rues. Notre complicité s'annonçait déficiente. Je ne l'ai pas bombardé de reproches, ce n'était pas le moment. Et puis j'éprouvais tant de plaisir à l'avoir là à côté de moi.

Nous étions un peu mal à l'aise de nous retrouver dans cette situation inusitée pour nous. Assis sur la banquette, il paraissait encore plus jeune que dans la classe. Jamais je n'aurais abordé un gamin pareil si j'avais été dans mon état normal. Enfin, dans mon état d'avant mes cinquante ans qui n'était peut-être pas plus normal, après tout. Mais à cinquante ans, on traverse des périodes inhabituelles dues en partie aux enzymes et à d'autres processus chimiques. Ça n'a rien d'original. Il en est de même pour tous les animaux, y compris les bactéries. C'est ce que je pense. Je conduisais distraitement, bouleversée par la présence d'Olivier à mes côtés. Je le regardais sans cesse au risque d'exécuter quelques bavures. Lui aussi d'ailleurs m'observait avec ses grands yeux noirs d'Haïtien un peu triste. Étrangement calme pour son âge et pour la situation. Au feu rouge, je me suis penchée vers lui pour l'embrasser. J'ai effleuré ses lèvres. Le conducteur de la voiture derrière a klaxonné, car le feu avait changé au vert.

C'est ainsi qu'on s'est rendus jusque chez Olivier. Lui se laissant faire, moi lui tenant la main, le genou, la cuisse comme un vieux mec au volant tâtant la jeune fille qui l'accompagne.

Il louait une chambre chez une dame près de l'école. Arrivés dans l'immeuble, nous sommes montés, silencieux, jusqu'à l'appartement. Nous n'avions strictement rien à nous dire. D'ailleurs, une seule chose comptait pour moi comme pour lui. Je me sentais un peu mal à l'aise d'entrer avec un garçon, et noir de surcroît, chez une femme que je ne connaissais pas. Le bouquet aurait été que j'atterrisse dans un immeuble insalubre ayant vaguement l'air d'une maison de passes. Heureusement que c'était un appartement propret, bien qu'à la décoration démodée. Mais cela importait peu, car j'étais hypnotisée par Olivier, par mon désir de lui, par l'excitation que j'éprouvais à l'idée de le satisfaire. Je ricanais à cause de ce désir qui m'enivrait et de la tension que j'avais subie qui maintenant avait chuté d'un coup sec. Je me suis approchée de lui, son visage près du mien, mes lèvres près des siennes. Lui attendait, il ne prenait pas les devants, mais voulait ce que je voulais. Nous nous sommes embrassés. Il a retiré son t-shirt, j'ai déboutonné ma blouse, et nous avons recommencé à nous embrasser, pendant qu'il tentait de dégrafer mon soutien-gorge. Comme il n'avait que vingt ans et qu'il connaissait mal les soutiens-gorges, je l'ai aidé.

J'essayais d'oublier mon corps, de faire le « don de moi ». Je lui ai rappelé que j'étais beaucoup plus vieille que lui et que ça me gênait un peu. Il m'a dit que j'étais belle et il me regardait avec envie. Nous nous sommes dirigés vers sa chambre. Elle était petite. La presque totalité de l'espace était occupée par un lit double recouvert de simples draps. Nous nous sommes étendus sur le lit. Accrochée à ses lèvres, je ne désirais plus rien d'autre : ses lèvres, sa peau, son corps tout jeune.

Il a sorti un condom de la poche de son pantalon qui traînait sur la moquette. Il l'avait chipé au mec de sa logeuse, qu'il m'a dit. Tout le contraire de Victor ! Comme il était pressé de me pénétrer, je lui ai enfilé le condom. Il n'avait pas une verge aussi impressionnante que l'homme que j'avais rencontré dans le bar. Même qu'il était un peu décevant, nu : un peu rondelet, pas musclé, contrairement à ce que j'avais cru. J'ai pensé que ses défauts cacheraient les miens et nous avons fait l'amour doucement, c'est-à-dire avec beaucoup de tendresse, mais vitement. Malgré tout le contrôle que manifestait Olivier, il n'avait pas baisé très souvent. Ce ne fut pas l'extase ni pour l'un ni pour l'autre. Tout cela s'est passé en silence, je me suis contentée de ronronner parce que tout de même c'était doux de se blottir dans les bras de ce petit garçon qui sentait bon.

Puis, comme je ne voulais pas risquer un face à face avec sa logeuse, je me suis rhabillée et suis partie.

Ce rendez-vous m'a procuré une certaine paix. Il y avait longtemps que je n'avais pas soufflé parce que ma nouvelle vie me siphonnait pas mal d'énergie.

Chapitre 6

— BON, J'ESPÈRE que je ne dérange personne, que je ne prends pas la place de quelqu'un, a dit José avant de s'asseoir.

— De quelle place parles-tu ? lui a demandé Patricia.

— Ça va, c'était une blague ! a avoué Victor.

— Ah ! il t'a fait son numéro des fauteuils réservés ?

— Je sais pas, j'y comprends rien et je veux surtout pas qu'on m'explique.

— Faut faire attention avec Victor, il a une peur bleue du changement. C'est pas de sa faute, c'est un legs maternel à ce que je me souvienne.

— Ouais, c'est ça. Chez lui, chacun avait sa place autour de la table.

— Ça suffit !

— Les places étaient délimitées par une logistique subtile de boîtes de céréales qui formaient une muraille protectrice.

Pour agrémenter nos dîners ou nos réunions protocolaires soporifiques, Victor avait eu la mauvaise idée de nous décrire scrupuleusement les manies de son terreau familial avec de multiples détails qui, pour être d'un comique certain, donnaient l'occasion à plusieurs d'emmagasiner des munitions à utiliser lors de ses attaques massives. Et elles n'étaient pas rares.

— Alors, je peux m'asseoir n'importe où ?

— Hum... pas exactement n'importe où.

— ...

— Mais là où tu es, il n'y a pas de problème.

— T'as acheté du lait, Patricia ?

— C'est pas à mon tour.

— Patricia, Patricia, fais pas semblant de l'avoir oublié.

— Je l'ai vraiment oublié.

— Bon, je vais vous en chercher, moi, du lait, qu'a dit José pas habitué à tant de préciosités et de rituels.

— Non, c'est le tour de Patricia et c'est important de respecter le tour de chacun, plus important que de respecter les places réservées, a affirmé le conseiller, tatillon comme pas un.

Son tour, à lui, on le passait assez souvent. Lorsqu'on occupe des fonctions aussi nobles que celle de conseiller, il est naturel de déléguer du personnel moins qualifié pour les tâches non spécialisées. C'est ce que croyait le conseiller.

— Parlant lait, je vous ai pas raconté... depuis trois jours, j'ai un chat. Un petit chat perdu tout magané qui est entré chez moi. Il devait être affamé, a dit Alice.

— Pis tes allergies ?

— Pour l'instant, ça va.

Alice, je lui aurais bien expliqué qu'il n'était pas nécessaire d'abriter des bestioles pour s'épanouir ou pour nous tenir compagnie, mais je sentais qu'elle n'était pas prête à se lancer dans des zones non protégées, sa pré-ménopause n'était même pas commencée.

□

Dans la classe, je regardais Olivier avec mon grand sourire repu. Enfin, pas vraiment repu, car j'étais prête pour une autre visite chez sa logeuse. C'est d'ailleurs ce que je lui ai offert.

—Quand? Quand? que je lui ai demandé tout enjouée.

—Peut-être qu'il vaudrait mieux qu'on ne se revoie plus. Tu es ma grande amie, et c'est pour cette raison que je te dis ça.

Heureusement qu'il n'y avait pas beaucoup d'élèves dans la classe et qu'ils rédigeaient dans leur cahier des petites productions occultes sur des douleurs purement symboliques – celles qui se supportent et qui voilent les autres, indécentes, intolérables –, car moi j'étais au bord de la crise de nerfs. Je me contrôlais difficilement.

Le malin, il veut me faire croire n'importe quoi. Il se défile, maintenant qu'il a exploré les dessous de sa prof...

—Avoue que je te plais pas, que j'ai tenté de lui dire en retenant deux ou trois sanglots que j'aurais préféré dissimuler.

—Oh non, c'est pas ça, là tu te trompes!

—Alors, séparons-nous progressivement, l'ai-je supplié avec les hoquets du désespoir qui sortaient malgré moi, qui me secouaient, comme s'il y avait eu une quelconque union entre nous, un quelconque lien qui nous avait unis. Voyons-nous encore trois ou quatre fois, je pourrai me faire à l'idée.

C'est ça que j'ai tenté de lui dire, mais je ne réussissais pas à formuler une phrase cohérente. Mon manque de contrôle m'attristait, je me comportais comme une adolescente à sa première peine d'amour.

Olivier a paru touché.

— Je ne savais pas que tu m'aimais autant.

Moi non plus, ai-je pensé.

Il a dit ça un peu découragé devant l'évidence et les conséquences que lui seul pouvait imaginer. En effet, cet amour qui lui tombait dessus le décourageait, le surprenait à tout le moins. Il ne s'attendait pas à une telle ampleur de mes sentiments (moi non plus, ai-je pensé encore). S'il avait soupçonné une telle chose, il ne serait jamais venu vers moi, même une seule fois. Et puis, il devait se dire que ce n'était pas vraiment de l'amour, mon truc. Que c'était plutôt de l'acharnement, au mieux une espèce d'attachement maladif. Enfin, quelque chose de grotesque. Ça, c'est sûr. Quant à moi, toute définition ou catégorisation de mes sentiments m'échappait, je ne captais que les intensités.

□

Je ne savais pas trop quel pion avancer, cette nouvelle configuration m'étant inconnue. Des sentiments qui m'étaient jusqu'ici étrangers cadrant mal avec ma cartographie politico-compulsive se disputaient mon cœur atrophié. J'ai rejoint ma garnison, un peu dépitée, et avoir eu le choix, ce n'est pas exactement là que j'aurais passé ma pause.

Patricia se lamentait que sa décrépitude s'accentuait à un rythme supérieur à sa capacité d'entretenir une garde-robe adéquate.

— Difficile de trouver des pantalons qui m'aillent bien maintenant, ces tailles basses me font des bourrelets affreux.

J'étais d'accord avec ses conclusions, ses choix vestimentaires ne l'avantageaient pas vraiment et l'obligeaient à ne considérer que des candidats plus vieux qu'elle ou à conserver celui qu'elle entretenait depuis près de cinq ans.

—As-tu pensé à la liposuccion ? a dit Victor.

—Il faudrait quand même pas exagérer.

—Vaut mieux entreprendre le traitement plus tôt que plus tard.

—Tout le monde souhaite nous traiter. Moi, j'ai pris le plan d'assurance A. Il n'y a aucune option, a expliqué Patricia.

—Pas de massage, pas d'ostéopathie ?

—Et la liposuccion, c'est dans quel plan ?

—J'ai toujours considéré la chirurgie comme un mal nécessaire, a affirmé Alice.

—Si tu n'es pas jeune, aujourd'hui, tu n'es rien.

—Ça, c'est vrai, s'est lamentée Patricia.

—Tu sais que le pire ennemi pour ton teint, c'est tout ce que tu bouffes. Les Japonais qui ont un très beau teint mangent beaucoup de sushis, a dit Victor qui cachait ses indélicatesses derrière une barbe drue.

—Évidemment, t'en ingurgites suffisamment pour te garder frais.

—Disons que ça me plaît bien.

—Moi, j'ai une sainte horreur des algues.

—Bientôt, on ne pourra bouffer que ça, ma pauvre, le reste sera soit radioactif, soit corrosif, a précisé Victor.

Trace d'ammoniaque, soupçon d'AZT, poule aux organes mutés, veau psychotropié, piments jaunis à la peur, grains de café et de douleur.

—En tout cas, Clarisse a un beau teint et un nombril mignon. Hein, Victor ?

— Tu les aimes à partir de quel âge ? a demandé Luc qui n'y connaissait rien en attraits féminins.

— On devrait les obliger à porter un uniforme, a dit Patricia.

— Toi, ma police, commence pas à tout réglementer parce que la jalousie va te gangrener.

— On sait bien, tu préfères voir le nombril de Clarisse.

Son nombril, ses lèvres supérieures et inférieures, son aisselle droite, leurs pores, son shakra pelvien, ses amygdales.

— T'as pris combien de journaux ce matin ? a dit Luc pour clore ce sujet qui le lassait.

— Qu'est-ce qu'ils foutent, tes élèves, avec *La Presse* ? Ils ne savent même pas lire.

— C'est pour le sport ; le reste, c'est pour se cacher.

— Rani fait les mots croisés, a dit Patricia.

— Non…

J'imaginais mal Rani effectuant le moindre effort intellectuel, bien que la finesse de ses raisonnements me revenait maintenant.

— Si.

— Des mots mystères, que tu veux dire ?

— Non, croisés.

Hypersensible, j'ai ressenti un léger serrement au niveau de la trachée. J'ai estimé qu'une fille si cultivée représentait un atout de taille dans mes futures fomentations.

— Ouais, et Rani, elle ne réussit pas que les mots croisés, elle écrit sans fautes, a ajouté Patricia.

— Pour toi, si je te comprends bien, la grammaire est une preuve de l'humanité d'un amas moléculaire telle que Rani. Alors que, pour moi, c'est le début de la confusion, voilà ce que j'en pense, a dit Victor. En fait, plus Rani maîtrise les accords, plus elle perd de son humanité, a-t-il ajouté en insinuant qu'elle, Patricia, avait sous-traité la sienne en acquérant les principes de l'orthographe.

— Elle te plaît pas, Rani ? Est-ce qu'elle t'aurait envoyé promener par hasard ?

— Mon chat est vraiment mignon, a dit Alice qui sentait l'atmosphère s'alourdir. Je ne savais pas qu'on s'attachait autant à un animal.

Ouais, on s'attache à tout ce qui vibre et nous chatouille, Alice, à tout ce qui bat et qui, dans une trajectoire totalement aléatoire, projette, dans la gibelotte fadasse de notre existence, sa trace d'animal. Ça nous touche, ouais, cette reconnaissance. Une fois nos doigts liés, plus possible de dénouer l'étreinte sans fracasser nos phalanges.

— Comment tu l'as appelé ? que je lui ai demandé comme si ç'avait une quelconque importance.

— Ti-minet.

Vraiment sans importance, ai-je pensé.

L'après-midi, Olivier n'avait plus de cours. Il les avait annulés pour travailler à temps plein dans une manufacture cinq soirs par semaine. J'étais contrainte à passer une soirée épouvantable à me triturer les méninges pour trouver un moyen de capturer mon animal à moi que je trouvais de plus en plus désirable.

Même que j'ai pris de l'avance, j'ai passé un après-midi d'enfer. Les élèves habitués à mes sauts d'humeur ne m'ont pas trop dérangée dans mon spleen, ce qui lui a permis de prendre de l'expansion. J'affichais une mine vraiment déconfite pour que le grand Stan, inquiet, me demande si j'avais un problème.

— Ça va, Madame ?

— Ça va, mon grand.

— Si je peux vous être utile…

Les élèves qui occupaient les sièges V.I.P. autour de mon pupitre étaient sidérés d'entendre un mollasson comme Stan tout à coup si prévenant, alors que, moi, mes critères d'évaluation s'étaient drôlement modifiés.

Chapitre 7

— ET ALORS, LUC, es-tu retourné voir Vladim ? a demandé Alice.

— Toujours pareil, il refuse de revenir ou même de téléphoner à la direction.

— Il parle pas de son retour ? s'est enquis José pour des raisons purement mercantiles.

— Pas vraiment.

— C'est courageux, a dit José qui entrevoyait terminer peinard l'année dans la classe de l'autre.

— C'est dément, a ajouté Alice.

— Si lundi prochain, il ne se présente pas, on appelle le syndicat. On ira l'extirper de force de son garage. Hein, Alice ?

Luc tripotait sa serviette de papier, il en a fait une boule compacte qu'il a déchiquetée en petits lambeaux. Quand la portion de table qu'il occupait a été constellée de flocons de papier gras, Alice s'est approchée de lui, a appuyé sa main sur son épaule pour lui signifier qu'il pouvait compter sur elle, tout en ramassant les miettes de serviette. Qu'importait l'orientation sexuelle de Luc. Pour Alice, tout autant compulsive, qui n'avait à gratter que son minet, il ne s'agissait que d'une contrainte mineure, elle qui avait abîmé ses glandes lacrymales et usé les fauteuils des psys subventionnés par le syndicat des enseignants durant les quinze dernières années. On appelle ça aussi acquérir de la sagesse. Elle en cumulait des masses, Alice, mais Luc, de ce point de vue, était plutôt immature, c'est-à-dire totalement exclusif.

— Dis donc, José, est-ce qu'il reprochait quelque chose aux élèves ? Son groupe était-il trop difficile ? a demandé Patricia.

— Je n'en sais rien. Il ne veut rien dire. Il sifflote, il refuse de parler d'école. Si j'insiste, je crois qu'il ne m'ouvrira plus sa porte la prochaine fois que je lui rendrai visite.

— Je parle à José, pas à toi.

— José te l'a déjà dit : tout est OK dans la classe, a continué Luc qui espérait encore être une des causes du déraillement de Vladim.

— Le conseiller est parti en vacances dans le Sud, a dit Alice pour protéger son Luc qui se préparait à affronter Patricia, contrairement à ses habitudes.

— On s'en plaindra pas.

— Il avait dit qu'il partirait durant le congé de Noël.

— J'en profiterais pour réfléchir à la pertinence de maintenir le poste de conseiller pédagogique, a suggéré Victor.

— On n'est tout de même pas pour couper dans les services, a rugi Patricia.

— T'appelles ça un service ? Sous quelle forme il te rend service, le conseiller ?

— Qu'est-ce que tu veux dire ?

— En tout cas, moi, il ne me rend pas service, ou du moins je ne m'en suis pas rendu compte.

— Il y a des gens à qui on peut rendre service parce qu'ils démontrent l'ouverture d'esprit nécessaire. Par contre, il y en a pour qui nos efforts seront toujours voués à l'échec. Le conseiller conseille celui qui veut entendre, a conclu Patricia, déjà impliquée dans son futur rôle de conseillère.

J'ai levé le nez de mon journal où défilaient, en colonnes interminables, crimes, mensonges et faux-semblants, et j'ai répondu « amen ».

□

J'ai perdu beaucoup de temps. Quel gâchis ! Je commençais à peine à remarquer la beauté des hommes. D'un jeune homme, devrais-je dire. Ça me frustrait, tout ce temps perdu, maintenant qu'il m'était compté.

Olivier était absent depuis quelques jours et j'étais persuadée que cela résultait de notre petite (grande ?) aventure, un peu comme Luc qui entrevoyait l'impact que ses marques continuelles d'affection avaient eu sur Vladim. Un véritable étouffement. Olivier croyait-il qu'avec le temps je le chasserais de mon esprit ? Pensait-il à un transfert d'école ? Ouais, peut-être bien qu'il ne voulait plus me voir du tout. Je souffrais énormément, moi. Son premier jour d'absence, je l'avais passé à en espérer la fin. Je subissais une désintoxication involontaire. Ce n'est qu'au troisième jour de thérapie que j'ai amorcé un processus d'acceptation. C'était à moi de montrer du *self-control.* J'étais responsable du petit et de ses études. C'est pour cette raison qu'après trois jours à me flageller, j'ai pris sur moi de ne pas infliger mon affection dévorante à Olivier, mais plutôt de continuer sur la voie du changement en m'intéressant à quelqu'un d'autre. D'ailleurs, mon équilibre en dépendait. Tout s'embrouillait dans mon cerveau, mon travail en subissait les contrecoups. Je relisais sans cesse chaque texte des élèves et, même là, le sens m'échappait – si on peut parler de sens dans les gribouillis que la plupart me remettaient. Mon intelligence était en veilleuse. J'étais un corps, seulement ça, moi qui n'avais vécu si longtemps qu'en esprit. J'ai jeté un regard circulaire sur la marmaille devant moi, à la recherche d'un autre garçon qui me permettrait de digérer l'arrogance d'Olivier et de m'émanciper davantage. Stan m'avait apporté pas mal de réconfort, un autre en ferait tout autant.

Mon choix s'est arrêté sur Léopold-Chen, un petit Chinois qui avait un air très juvénile malgré ses vingt ans. Serait-il vierge en plus ? En tout cas, cette bouche groseille ne paraissait pas avoir beaucoup d'expérience. Je l'ai prié de s'avancer près de moi.

— Laisse-moi voir l'intérieur de ta main, lui ai-je demandé à voix basse.

C'est ce qui m'est passé par la tête. J'en ai profité pour lui saisir la main doucement et je ne ratais rien de la sensation que cela me procurait. Je l'ai tournée en la caressant, paume vers le haut. Elle était sale et je le lui ai dit. Il a bredouillé des excuses auxquelles je n'ai pas prêté attention.

— Oui, mais les ongles aussi, ai-je ajouté en retournant sa main, lui montrant ainsi ses ongles mal taillés et malpropres.

Léo a tenté de retirer sa main, mais je l'ai retenue. J'ai imaginé cette main sur mon sein, sur mon corps, mais cela ne m'a pas plu vraiment. Par contre, son petit fruit alléchant m'aguichait.

Lorsque la cloche a sonné midi, j'ai prié le petit Chinois de rester un moment dans la classe. Quand tout le monde a été sorti, j'ai refermé la porte et l'ai verrouillée discrètement. Il s'impatientait parce qu'il était midi et qu'il voulait rejoindre ses copains. Moi, je ne savais pas par quel bout commencer, et puis je craignais qu'un curieux se plante dans la fenêtre de la porte pour nous espionner. Aussi, j'ai pris la main sale de Léo et je l'ai entraîné avec moi sous une table à côté de mon pupitre, à l'abri des regards indiscrets.

Il me regardait avec des yeux de petit Chinois cruel. Vraiment, je n'étais pas son type.

— Ta mère, elle ne se tient jamais sous la table ?

— Jamais.

— Eh bien, moi, je ne suis pas ta mère, tu vois.

— Ça, c'est certain, Madame.

— Et qu'est-ce qu'on peut bien faire sous une table ?

— Se cacher ?

— Eh oui, se cacher, Léo.

— De qui ?

— De tous les curieux. Tout le monde cherche toujours à se mêler de la vie des autres. Tu n'en as pas marre, toi ?

— Je n'avais jamais pensé à ça, Madame.

Je me suis collée près du garçon. L'espace n'était pas grand sous la table, j'en ai profité pour lui parler de choses et d'autres à deux pouces de la bouche.

— Bon, je crois qu'on peut sortir, maintenant, a-t-il dit.

Il s'est accroupi pour ne pas heurter sa tête, je l'ai retenu par le bord de son t-shirt. Mais Léo ne comprenait vraiment rien et je n'avais pas trop envie de lui faire un dessin. J'ai replacé ma jupe, mon chandail et mon chignon un peu de travers. Il a détalé, me laissant patauger dans le ridicule de la situation.

Seule, j'ai implosé sous le choc. J'ai interprété ce refus comme un profond mépris et j'ai eu honte. Mes morceaux ne tenaient rassemblés que par la peau, ouais, que par ma couche externe, parce que le dedans était en hachis. Le chat de la voisine avait quitté son poste contre la porte du garage et les moineaux se gavaient dans des pépiements euphoriques.

Ce midi-là, l'absence du conseiller commençait à peser sur certains collègues. Patricia estimait qu'il lui incombait de prendre les choses en main. On avait eu un doute, maintenant c'était une certitude : la maligne envisageait de déloger le conseiller. Quant à moi, on pouvait bien l'envoyer à Chapais, celui-là, ou en retraite préventive (pour les autres, s'entend).

— Toi, tu n'en prépares pas, d'activités ? qu'a dit Alice.

— Toi non plus.

— Ça fait long, toute une session sans fêtes.

— Ouais, on a même pas loué un seul film, a soupiré Luc qui s'apparentait de plus en plus à une cloque sur un tissu calciné.

J'aurais bien *dialectisé* avec Luc sur nos misères communes, et peut-être même sur celles des autres, ouais, on aurait pu éplucher *The Gazette* ensemble ou s'inscrire comme bouclier humain pour Greenpeace ou Attac. Il y avait longtemps que je tentais de me dénicher un associé, mais je ne suis pas certaine que j'existais pour Luc.

— Les films, c'est une perte de temps. Il faut penser à une activité plus éducative, a dit Patricia.

— Qu'est-ce qui n'est pas une perte de temps ?

— La grammaire, pardi ! a répondu Victor. N'est-ce pas, Patricia ?

Là-dessus, Victor et moi, on se rejoignait. Nos illusions étaient en chute libre. Le ministre de l'Éducation serait bien déçu s'il apprenait qu'il finance deux impies incorrigibles de notre espèce.

— Il n'empêche qu'on a une session plate ! a insisté Patricia qui complotait un projet neuro-didactique.

— Qu'est-ce que tu proposes ?

— Inviter un conférencier.

C'était ça, l'idée de Patricia. Et c'est elle qui choisirait le prophète.

— Tu vas préparer la rencontre bénévolement ? Tout le temps que ça gruge, d'organiser une conférence…

— C'est pas moi qui la donnerai, cette conférence.

— Oui, mais contacter le conférencier, le recevoir… prendre le café avec lui, lui serrer la main…

— Sans compter que les élèves ne seront pas contents, a dit Luc.

Il entrevoyait ce genre de rencontre avec effroi parce qu'il en avait connu, au cours de sa carrière de prof, d'horribles après-midi à supporter les incohérences d'un conférencier bon marché, déniché à la dernière minute.

Patricia, dans sa grande générosité, ne pensait pas aux élèves, mais à nous. Une conférence sur les troubles d'apprentissage, c'était ça, son idée. Des experts dans le domaine qui décortiquent les symptômes et leur origine nous refileraient quelques conseils gracieux pour améliorer nos compétences et, par effet domino, celles de nos élèves. Personne n'a trouvé l'idée bonne.

— Qu'est-ce qui plaît à un élève ?

— Organisons une remise de diplômes, ai-je répondu sans réfléchir. Et laminés. Des beaux diplômes inusables ou recyclables.

— On n'est pas pour leur donner le diplôme et organiser une remise générale pour Noël !

— Jusqu'à maintenant, c'est ce qu'on fait.

—Qu'est-ce que ça signifie ? m'a demandé Patricia, le bec en cul de poule prêt à éjecter sa fiente véreuse.

—On leur donne les réponses d'examen. C'est simple. C'est ce qu'elle insinue, a dit Victor tout à fait d'accord avec moi.

—Sauf à Clarisse que tu préfères ralentir, a dit Alice.

—Il préfère ralentir toutes les femmes, c'est normal, qu'a ajouté Luc.

Personne n'a répliqué qu'il se conduisait de la même façon avec les garçons. Le pauvre paraissait assez affligé depuis l'absence de Vladim.

—Je suis d'accord pour qu'on invite un conférencier pour les élèves. D'ailleurs, sortir demande trop d'énergie.

—Pas de sujets trop dramatiques ou trop sérieux, que j'ai dit.

—Je te rappelle qu'on est dans une école. On n'est pas ici pour rigoler seulement, m'a avertie Patricia sur un ton sévère.

—En vieillissant, on se demande si c'est pas les seuls bons moments.

Ces discussions me donnaient le tournis. Je ne les supportais plus. Après Olivier et le Chinois, j'avais plongé dans un vide terrifiant. J'aurais pratiqué la méchanceté pour soulager mes blessures et ce n'était pas la meilleure solution parce que Patricia se serait chargée de mon cas. J'y aurais passé l'heure du lunch et hypothéqué les sept mois et demi que j'avais à trimer auprès d'elle avant notre grande séparation annuelle.

—Vous allez m'excuser, mais j'ai une sieste à faire. Plus ça va, plus j'ai besoin de sommeil. Il me faut dix heures par nuit pour récupérer.

J'ai inventé cette urgente envie de dormir pour ne blesser personne. Le mieux, c'est d'éviter les situations périlleuses et de garder son énergie pour les vraies causes humanitaires ou tout simplement humaines.

— Pis après une sieste, ça va ? T'es en forme ?

— Oui, je crois que oui.

— Bon alors, pas de problème ! Moi, je dors et je ne récupère jamais, que ce soit quatre ou dix heures. J'ai perdu la forme, qu'a dit Victor, qui pourtant consommait quantité d'anxiolytiques et de narcotiques.

— Pour garder la forme, c'est pas tant de dormir, il faut bouger quand on est éveillé. Mais toi, tu ne fous rien à part critiquer, lui a répondu Patricia.

J'ai abandonné Patricia et Victor à leurs démêlés inextricables, puis j'ai appuyé mon front sur mes avant-bras en guise d'oreiller et j'ai filé dans mes domaines particuliers, touffus de scandales prêts à éclore, de dénonciations spectaculaires, de baises et du visage africain d'Olivier.

□

Olivier est resté absent toute la semaine. À son retour, j'ai exigé des explications. Professionnellement, ça me regardait. Il m'a raconté avec sa gentillesse habituelle qu'il avait passé toutes ces journées à chercher un appartement parce que sa logeuse lui avait donné un ultimatum. Il devait être parti pour le week-end, car elle soupçonnait qu'il avait fait venir chez lui quelqu'un ou quelqu'une et que c'était interdit. Question règlement, elle était plus stricte que le directeur de l'école, qui d'ailleurs s'absentait tellement souvent que… pourtant elle… son mec… ses condoms…

Je me sentais un peu responsable de ses problèmes.

— Et puis, tu as loué quelque chose ?

— Non… rien.

J'ai offert à Olivier de s'installer chez moi. Comme chambreur, bien sûr. Ainsi, il se débarrasserait de sa logeuse emmerdeuse et il vivrait dans une belle chambre confortable et à bon prix. Je n'ai pas réfléchi avant de parler, mais les grands chambardements ne s'annoncent pas trop avant d'éclater un matin de novembre frisquet.

Eh bien… il a accepté. Cette décision m'a bouleversée. Est-ce que cela empiéterait sur ma liberté ? Aurais-je encore quelque intimité ? Moi qui avais tant espéré le changement, voilà que cette réponse d'Olivier m'y propulsait à grande vitesse. Je l'ai rejoint chez lui le lendemain après mon travail pour l'aider à transporter ses effets. Il avait pris à peine quelques heures de congé de la manufacture – son patron n'avait pas l'air trop accommodant – pour effectuer son déménagement. Olivier était prêt : quelques sacs, une grosse valise. Il possédait peu. Le voir déposer tout son avoir dans le coffre arrière de la voiture m'apportait un soulagement immense, l'arrêt d'une tension qui ne me lâchait plus depuis longtemps. J'ai failli dire : « Merci mon dieu. » Je l'ai peut-être dit.

Aussitôt arrivé dans sa nouvelle chambre, il a rangé ses vêtements dans les tiroirs. Puis il a fait un brin de toilette avant de partir travailler.

Ce premier soir de cohabitation, je l'ai donc passé seule. Je n'ai même pas entendu Olivier rentrer. Je dormais.

Chapitre 8

À NOTRE GRAND REGRET, l'intérêt pour la pédagogie que manifestait Patricia grandissait sans cesse. Elle prenait un cours le samedi matin pour être prête le jour où une promotion s'offrirait à elle. D'ailleurs, elle surveillait les postes affichés sur le babillard avec beaucoup d'assiduité. Pour le reste, elle s'était mise en tête de nous bousiller l'heure du lunch avec ses nouveaux apprentissages. De mon côté, ma certification en pédagogie représentait mon pire souvenir scolaire : une année à disséquer vainement les modes d'apprentissage d'élèves réfractaires à tous mes stimuli.

—Tu savais que la plupart des élèves n'ont pas accès à une pensée hypothético-déductive ?

—Ah ouais ? Certains affirment : à la pensée tout court, a dit Victor.

—Un problème en trois séquences, même en deux, c'est trop, a expliqué Patricia la savante.

—Un problème à une séquence, c'est pas un problème, il me semble, que j'ai dit.

—C'est un phénomène sociologique, a ajouté Alice qui ne s'intéressait pas à la pédagogie, mais qui prenait toujours la défense des plus faibles.

—Aussi bien dire qu'on travaille pour rien, a soupiré Luc qui tentait de se raccrocher tant bien que mal à sa fonction d'éducateur.

— Je te le fais pas dire.

— J'ai toujours cru que l'intelligence est une faculté qui se développe tout au long de la vie, ai-je dit.

Ç'en est assez du mépris ! Cette façon d'affirmer des vérités... Là c'était l'hypothético-déductif, d'autres fois le cerveau reptilien, d'autres encore les neuro-transmetteurs. Les vérités de Patricia se développaient au gré des émissions de vulgarisation scientifique. Elle ne ratait jamais *Découverte* à la télé, et avec son cours du samedi, elle passait pour la nouvelle gourou auprès de la direction qui s'empressait de la recommander aux D.G., D.O.G. et P.D.G. Le conseiller aura une surprise à son retour, que je me disais. Ça lui apprendra à soigner ses clous avec une lampe solaire au lieu de s'exhiber tout nu sur une plage.

— Oui, c'est vrai, Patricia, en autant que la pensée déducto-hypothétique soit là au départ, a expliqué José qui suivait des cours lui aussi, mais qui s'empêtrait dans ses nouvelles notions.

— Donc, avec de l'intelligence, on fait de l'intelligence. C'est comme pour l'argent : plus t'en as, plus t'en fais, que j'ai dit à Patricia.

— Ton exemple est super. J'aurais pas pu mieux t'expliquer.

— Nous, on a affaire à du monde cassé, a ajouté Victor.

— Dans les deux sens du terme.

— C'est ce qui s'appelle malchanceux, a conclu Alice, trop sensible.

— Toi, Patricia, les fais-tu fructifier, tes placements ? a demandé Victor.

— Je sais pas pourquoi, il faut tout le temps que tu viennes me chercher. C'est pas moi qui l'affirme, c'est la science.

Ça, c'était l'ultime argument de Patricia pour clouer le bec de tous ceux qu'elle jugeait tels des volatiles décérébrés.

— Dans le livre que tu as acheté chez WalMart ou Costco ? C'est là que tu as monté ta bibliothèque ?

— Excusez-moi, mais je ne reste pas une minute de plus ici.

Patricia s'est précipitée vers la sortie avec José sur les talons.

□

Le soir, j'ai appelé Rani pour l'avertir que j'annulais la session de ménage de la semaine, histoire de souffler un peu avec mon nouveau coloc. En fin de compte, dans ma surexcitation, je l'ai suppliée de me rejoindre tout de suite. J'avais besoin de me confier et il me semblait qu'elle pouvait me comprendre. Au point de régression où j'étais rendue, il n'y avait pas de contradiction à quêter les conseils d'une fille d'à peine dix-neuf ans.

Rani affichait une expérience débridée tout à fait adéquate et une ouverture d'esprit rare, même pas mal inédite pour une fille aussi performante en français. Et elle connaissait Olivier.

Elle s'est pointée chez moi une heure plus tard, une vitesse record pour cette Afro-asiatique si libérée. Je lui en étais reconnaissante. Aussitôt que je l'ai vue, je l'ai prise dans mes bras et je l'ai embrassée, ce qu'elle a interprété comme le signe d'une amitié toute naturelle. Rani m'estimait et, malgré notre différence d'âge, elle me comptait déjà parmi ses proches.

Pour consolider notre amitié et pour m'aider à me confier, j'ai ouvert une bouteille que je gardais dans mon cellier, un Barolo.

— Pourquoi tu mets ton vin dans ce drôle de frigo ? qu'elle m'a demandé les yeux écarquillés devant ma collection. Je pensais que c'était un coffre-fort.

— C'en est un, Rani, on va boire un petit trésor toutes les deux, si tu veux.

Rani était d'accord, bien qu'une bière lui eût plu davantage. J'ai versé le vin comme si je n'avais rien entendu ; on allait tout de même pas se parler franchement devant une Molson Dry. Rani m'a regardée goûter le vin comme si j'étais une hypochondriaque doublée d'une fétichiste, alors qu'elle le buvait à grande lampée.

— Bon, c'est quoi ton problème ? m'a-t-elle demandé, maintenant réchauffée et bien écrasée dans un fauteuil du salon.

Je lui ai expliqué qu'Olivier était mon locataire et les problèmes sentimentaux qu'il me causait. Rani n'a pas paru surprise. Olivier l'aurait initiée à nos petits secrets qu'elle n'aurait pas agi autrement.

— S'il a accepté de venir ici, c'est déjà bon signe, m'a-t-elle dit.

— Est-ce que ce n'est pas seulement pour profiter de moi ?

— C'est toujours possible. Mais est-ce que c'est grave ? Il faut bien qu'il trouve son profit lui aussi.

— Ça signifie que, moi en tant que moi, je ne suis pas un véritable profit ?

— Primo, arrête de jouer les susceptibles.

— Je m'efforce de me débarrasser de tout ce que j'étais, susceptibilité comprise.

— Mais, attention, il faut que tu restes naturelle… C'est pas mauvais ce vin-là. On s'en prend encore ?

Je n'osais rien lui refuser, aussi j'ai rempli son verre à ras bord.

— Moi, je considère qu'il t'a déjà donné beaucoup.

— Oui, mais il ne veut pas baiser avec moi. Je suis pas baisable ? Qu'est-ce que t'en penses ?

— Difficile à évaluer. T'es baisable pour certains, ça c'est sûr.

J'aimais bien la franchise de Rani. C'était dur sur le coup, mais j'appréciais ses vérités sans détour.

— Est-ce qu'il est possible que ça change ? Tu pourrais peut-être sonder le terrain. Voir qu'est-ce qui cloche, qu'est-ce qu'il me reproche.

— …

— Tu ferais semblant de ne pas me connaître…

— Hé, c'est bon ce truc-là.

— Contente que tu saches l'apprécier. C'est du Barolo.

— C'est pas du vin ?

— Oui, oui, un vin d'Italie.

— Tu t'en paies, du luxe, toi…

— Ouais…

— T'as juste à te l'acheter, Olivier.

— Qu'est-ce que tu racontes !

— Tu lui offres carrément de l'argent.

— T'es folle ! Un garçon tout plein de principes. Fais plutôt ton enquête au lieu de me donner des conseils comme ceux-là.

— OK. À la tienne, Basilica ! D'ici une semaine, je promets de te fournir plein de renseignements utiles.

— Merci, ma chouette, je t'oublierai pas.

J'ai dit ça en pensant à mes bouteilles qui mûrissaient dans mon cellier, car pour le reste, je ne voyais pas en quoi j'aurais pu lui être utile. Je lui ai tout de même refilé quelques billets avant qu'elle ne parte.

□

Depuis deux jours qu'Olivier habitait chez moi, et j'espérais toujours qu'il me rejoigne dans ma chambre après le travail. D'accord, le premier soir, il était fatigué, mais le deuxième... c'était vraiment exagéré. Ça augurait plutôt mal. Épuisée, j'ai éteint ma lampe de chevet, sans pour autant trouver le sommeil. J'imaginais Olivier étendu sur son lit à tripoter je ne sais quoi et je rageais intérieurement parce qu'il s'entêtait à rester dans sa chambre. J'ai finalement réussi à m'endormir, mais d'un sommeil agité. Et pas trop réparateur. Je me suis réveillée au milieu de la nuit, j'étais encore seule. Si je faisais les premiers pas, je risquais de l'effrayer et de précipiter son départ. Pourtant, à trois heures quarante-sept, je me suis levée et suis allée me blottir contre lui dans son lit. Le sentir près de moi, cela me suffisait. Je ne voulais surtout pas le déranger. J'ai enfoui mon visage dans son cou et je me suis rendormie.

Le matin, Olivier a été surpris de me trouver contre lui. Mais, avec sa gentillesse coutumière, il n'en a pas fait une histoire. Au contraire, il était de bonne humeur. Il m'a enlacée et a posé des baisers sur mon front, puis sur mes joues. C'était bon. Je me comportais comme une fille sotte et immature dans un corps de femme mûre, alors que lui avec son physique d'adolescent contrôlait parfaitement la situation. Je ne me suis pas attardée au lit. Premièrement, pour ne pas l'embarrasser, puis, parce que si tôt le matin, je ne paraissais pas à mon meilleur. J'avais une mise au point à effectuer dans la salle de bains.

Ma toilette terminée, je lui ai laissé la place afin qu'il fasse la sienne. Pendant ce temps, j'ai préparé le petit-déjeuner. Malheureusement, Olivier ne buvait jamais de café et n'aimait pas la sorte de céréales que je lui offrais, c'est ce qu'il m'a dit. Pas de problème, on ferait des courses ensemble le prochain samedi. D'ici là, il s'arrangerait avec ce qu'il y avait.

Il est resté à peine cinq minutes dans la cuisine, puis il est retourné dans sa chambre pour n'en ressortir qu'au moment de son départ pour l'école.

— Je peux te conduire à l'école, que je lui ai offert.

Il n'en était pas question. Il préférait prendre l'autobus. C'était un moment privilégié pour revoir ses notes de cours, pour réviser sa grammaire ou n'importe quoi de tout aussi vain.

Je l'ai regardé partir avec tristesse. Mon attitude n'était pas encore la bonne. Maintenant qu'Olivier vivait chez moi, je devais cesser de focaliser sur lui et m'occuper un peu plus de moi.

Le soir, je n'attendais pas Olivier puisqu'il travaillait tous les jours dans cette manufacture de vêtements dont le patron se prenait pour un dompteur de fauves. Pas de quartier sous le chapiteau. Allez, plus vite, plus vite ! « Le prochain qui bâille, je le lui déduirai de sa paie. » Olivier rentrait vers minuit, heure où d'ordinaire, vaincue par la fatigue, je m'abandonnais au sommeil. J'aurais préféré occuper mon temps autrement, mais dormir me permettait, maintenant qu'Olivier habitait chez moi et qu'il en était presque toujours absent, d'oublier le manque terrible et d'arrêter pour quelques heures de guetter son retour.

Malgré tout, je me réveillais en sursaut plusieurs fois la nuit et constatais, amère, que j'étais encore seule dans mon lit. Le matin, Olivier restait claquemuré dans sa chambre jusqu'à son départ pour l'école. C'est comme ça que se déroulait notre quotidien. Je ne le voyais pas.

Aussi je me baladais avec ma drôle de mine, les yeux cernés, le cœur sur l'estomac, et les collègues n'avaient que ça à analyser. À croire qu'ils menaient une vie plus calme que la mienne. Il y avait bien Patricia qui endurait un troisième mari qui se cherchait du travail même les soirs et les fins de semaine, la laissant arbitrer les jeux et les combats de ses trois enfants et de ses deux chiens, et José qui s'était fiancé avec une ergothérapeute sérieuse et sans fard, qu'il envisageait engrosser le plus rapidement possible, c'est-à-dire dès qu'il aurait la certitude que Vladim ne reviendrait pas. Sur la carte de souhaits qu'on avait envoyée à Vladim, il avait spécifié : « Prends le temps qu'il faut pour bien te remettre, je suis là. » Les autres vivotaient d'une rencontre furtive à l'autre ou, le plus souvent, seuls à éplucher les petites annonces dans les rubriques « Rencontres » des journaux.

— T'as pas l'air de filer, Basilica.

— Ouais, je suis fatiguée.

— Mais tu dors dix heures par jour !

— C'est plus assez.

— Elle mange pas !

— C'est normal de pas avoir le moral à cette période de l'année.

— L'année va être longue.

— À l'heure où on se couche, il ne nous reste plus rien.

— Ne parlez pas du rien, vous me foutez la trouille.

C'est ce qu'a dit Luc, à fleur de peau, pris au piège dans cette école où il cumulait trop d'années d'ancienneté pour tout envoyer à la déchiqueteuse. Il suivait un chemin tout nivelé : *nonstop* et plat. Lui dont les parents s'inquiétaient alors qu'il n'avait que huit ans parce que son homosexualité, selon eux, le confinerait dans une marge insécure.

—Le chat va bien ?

—Il a grossi, je devrai changer son régime.

—Je peux m'asseoir ici ? a demandé José qui arrivait.

—Non, pas là… Là.

—Merci.

—Et si Victor rentre ?

—Je l'assoirai sur mes genoux, qu'a dit Alice, parfois coquine.

Mon épuisement a progressé toute la journée. Ma tête flottait à des lieues de cette école, sous un soleil de 27 juillet et à trois cent cinquante-trois kilomètres d'un dispensaire, blessée parmi des carcasses de dromadaires. Un filet de sang coulait de la commissure gauche de mes lèvres. J'ai fermé le cahier « Monde » de mon journal qui me faisait halluciner et me suis contentée des mots croisés. Question de survie.

Quand Olivier est revenu du travail ce soir-là, je ne dormais pas encore. Ses gestes étaient lents. Sa fatigue s'accumulait chaque jour un peu plus, et la mienne se mettait au diapason juste à le voir si épuisé.

—Parfois, je pense que je vais perdre connaissance, que je vais m'écraser et ne plus me relever, qu'il m'a dit.

Des mots comme ceux-là, ça m'a touchée. J'ai pris son visage si triste dans mes mains. J'ai caressé ses belles joues rondes. Il perdait son entrain. À l'école, il riait moins.

—Je vais te faire un massage.

—Non, non, une autre fois, tout ce que je veux, c'est mon lit. Je t'en prie, Basilica, laisse-moi me coucher.

— Je vais t'aider à te mettre au lit.

Et je l'ai aidé à se dévêtir, un peu malgré lui. Je lui ai retiré ses vêtements et j'ai déposé de légers baisers sur son corps en même temps, ce corps qui me bouleversait comme jamais auparavant. Je n'ai pas insisté pour lui parler. J'avais si peur de le déranger. J'ai tiré le couvre-lit et le drap, il s'est jeté sur le lit. Puis je l'ai abrié et j'ai éteint la lumière.

— Bonne nuit !

Il n'a pas répondu, cela était trop exténuant pour lui.

Olivier m'avait communiqué son terrible épuisement et je baignais dans une insatisfaction sans nom. À partir de cette nuit-là, mon insomnie s'est aggravée, au risque d'augmenter mes poches sous les yeux et de ternir mon teint de façon irrémédiable. Olivier et moi, nous vivions sous un mode d'exténuation extrême. Je ne sais pas comment il faisait pour continuer ses cours. Moi, je ne les donnais plus depuis un certain temps. De toute manière, personne ne m'en réclamait.

Chapitre 9

LE SAMEDI MATIN, Olivier m'a accompagnée à l'épicerie. C'était sympathique de faire les courses avec lui. Ça me donnait l'impression de vivre en couple, mais sans toutes les complications que cela suppose. En même temps, je préférais qu'on n'attire pas trop l'attention, car on formait un drôle de couple. De toute façon, Olivier ne m'aurait pas pris la main ou montré quelque intimité en public. Il était très fier. Peut-être que tout ça, c'était dans ma tête… Ouais, peut-être bien qu'il aurait pris ma main si je n'avais pas été si autoritaire et distante dans ce super-marché. Non, non, il ne me considérait pas comme sa petite amie… comme sa coloc, sans plus. Je ne sais plus. Enfin, la situation n'était pas claire. Ni pour lui ni pour moi. Ouais, peut-être bien qu'il aurait apprécié que je lui tienne le bras ou quelque chose comme ça. Mais on gardait nos distances. Allez savoir pourquoi ! (Plus tard, j'ai pensé que, dès ce moment d'hésitation de ma part, dans ce supermarché bondé, la décision d'Olivier était prise. Ouais, j'aurais dû attraper son bras, le prendre par la taille, dévisager la mégère et son congénère, affronter les bâtards hypocrites qui pullulaient dans les supermarchés.)

Olivier n'avait pas à s'inquiéter pour l'argent de l'épicerie, c'est moi qui paierais. Il pouvait prendre tout ce qui lui tentait. Pourtant, il ne déposait presque rien dans le panier, surtout pas des fruits ou des légumes. Il a acheté du riz, la base de son alimentation, et des cuisses de poulet. Moi, du poulet, je n'en mangeais plus depuis une éternité, depuis qu'on nous vendait des poulets mutés et disloqués et qu'on leur faisait subir plusieurs formes de torture, ce que j'ai expliqué à Olivier. Or, le riz et le poulet étaient essentiels à sa survie. Je lui ai conseillé celui de grain et surtout le bio, soi-disant plus heureux, sûrement plus près du goût de la volaille d'Haïti. Rien à faire, il préférait le poulet d'ici, je n'avais pas à m'inquiéter ni à débourser un supplément. Il a acheté des croustilles, des biscuits et d'autres cochonneries ainsi que des boissons gazeuses. Il se permettait tout ce dont il s'était privé, alors qu'il se contentait auparavant de pain et de riz, le plus souvent sans poulet.

Je lui ai offert des jus, des yogourts crémeux ou mousseux, il n'en voulait pas – bien que la pub du chien qui pique le yogourt de l'enfant qui se pâme lui plût énormément. Olivier se nourrissait mal et ça ne me regardait pas.

Le soir, nous regardions les actualités à la télé. Racines desséchées, lambeaux de viande contaminée, eau putride, l'état du monde défilait sur l'écran alors que nous préparions chacun notre repas sur un bout de la table : moi, une salade et un poisson entier pour garder ma ligne et préserver ce qu'il me restait de teint ; lui, son éternel poulet accompagné de croustilles. Ce qui était frustrant, c'était qu'Olivier avec son Coke et ses chips avait une meilleure mine que moi. Ce n'était pas une question de couleur de peau. Non. Il était encore tout frais, Olivier, et moi presque rendue à expiration.

J'ai mis une bouteille de chianti sur la table.

— C'est un vin de mon pays.

Olivier m'a regardée, surpris.

— Un vin d'ici, tu veux dire ?

— Non, un vin d'Italie.

— T'es Italienne ?

— Pourquoi penses-tu que je m'appelle Basilica ?

— C'est quoi ça, Basilica ?

Je lui ai raconté que ma mère m'avait donné ce nom parce qu'elle croyait que mon père était un Italien de la région de la Basilicata. C'est-à-dire qu'elle ne supposait pas que cet homme-là vienne d'Italie – on ne fait pas ce genre de supposition –, mais que ce soit lui, cet Italien de la Basilicata, qui soit effectivement mon père. Voilà où j'en étais avec mon italianité et ma généalogie.

— Pourquoi crois-tu que j'aromatise tout ce que je mange avec cette herbe qui pousse sur le comptoir ?

— …

— C'est du basilic, une herbe de chez nous. Enfin, de chez mon père. Enfin, de chez lui, ce type qui est probablement mon père.

— Je pensais que ton nom avait un rapport avec une basilique ou avec quelque chose de religieux.

— Le religieux, moi, Olivier, ça me donne des frissons.

Et j'ai avalé une gorgée de chianti pour tranquilliser mon système neuro-cérébral et hormonal et me satisfaire d'une certaine manière. Oui, parce qu'il me frustrait, ce petit gars. Lui, il avait peur de tremper ses lèvres dans le vin comme si l'alcoolisme était un virus et boire, une saleté de péché.

— Tu vois, on porte tous les deux des noms de végétaux. Olivier et basilic. Et de plus, deux plantes d'Italie.

— Les oliviers poussent en Italie ?

— Peut-être que ta mère… qui sait…

— Ma mère, je ne la connais pas.

Cette confidence d'Olivier m'a fait de la peine. Là, j'aurais bien accepté d'être sa mère, de lui donner le sein et tout ça. Car, moi, il y avait longtemps que je n'avais pas été aussi bien. Un bon poisson, un bon vin et mon ami Olivier. Moi sa mère, lui mon père.

Faut croire qu'il ne voyait pas les choses de la même façon, car après le souper, il m'a annoncé qu'il sortait avec des amis. Il s'excusait pour la vaisselle, mais il était pressé. Moi, je n'avais pris aucun engagement, souhaitant passer cette soirée avec lui, une des deux seules où il ne travaillait pas. Je me suis sentie trahie, abandonnée. Mais à l'âge d'Olivier, on faisait des activités de jeunes. Où allait-il ? Ça ne me regardait pas.

J'ai ravalé tous les reproches qui me brûlaient les lèvres et, assise devant mon assiette à peine entamée avec un verre de chianti à la main, je lui ai même souri. On présentait maintenant à la télé, sans aucune transition avec les drames précédents, les sorties culturelles du samedi soir : on pouvait s'éclater dans des *after-hours* ou, pourquoi pas, commencer par un *before*.

Puis j'ai vidé les restes de mon assiette dans la poubelle – je ne supportais pas la présence du rouget avec son œil sidéré et son rictus crispé –, alors qu'Olivier, occupé à se pomponner et à se parfumer, me quitterait dans quelques instants. Il m'a saluée sans m'embrasser, son joli visage sans animosité, sans reproches. Un peu plus et il me disait « bonsoir maman ».

Olivier venait tout juste de sortir quand Rani m'a téléphoné pour m'entretenir des résultats de son enquête. Je l'ai invitée à finir la bouteille de vin avec moi. Elle n'a pas hésité. Le Barolo lui avait laissé un bon souvenir. On n'a pas perdu de temps : sitôt écrasées dans nos fauteuils, nos verres bien remplis, on a abordé le sujet qui nous unissait.

— Écoute, je l'ai travaillé tant que j'ai pu, mais je n'ai pas grand-chose qui vaille.

— Raconte... Qu'est-ce que tu veux dire par « travaillé » ?

— Bon, on était assis à la cafétéria et tu es passée pour récupérer tes papiers dans la salle des profs. Alors j'ai lancé que je te trouvais vraiment bien pour ton âge.

— ...

— Je lui ai demandé ce qu'il en pensait.

— Et qu'est-ce qu'il a répondu ?

— Il partageait mon opinion : tu étais vraiment bien. En fait, il savait pas exactement ton âge... et je ne le lui ai pas révélé.

— ...

— Je lui ai demandé si, pour lui, l'âge représentait un obstacle, une barrière.

— C'est direct, il a dû avoir un doute.

— Non, je crois pas, car j'ai ajouté aussitôt que j'avais un homme en tête, un homme de cinquante ans qui me titille. Il m'a répondu que, pour lui, l'âge n'avait pas d'importance... Puis là, j'ai ajouté que c'était facile à dire tant qu'on n'était pas confronté à ça dans la vie, mais que...

— Ouais, bien joué. Qu'est-ce qu'il a répondu ?

— Lui, il préférait ne pas donner de conseils.

— Ah non ! C'était super bien parti pourtant.

— J'ai pas insisté. Je me serais démasquée sinon.

— Donc on ne sait rien de plus ?

— Enfin, il a parlé comme s'il n'avait jamais été confronté à un problème comme celui-là.

— Il est si secret, il ne voulait peut-être pas te mettre la puce à l'oreille. S'il t'avait confié qu'il avait déjà vécu une idylle de cette sorte, tu aurais cherché à lui soutirer des détails. Il faudra utiliser une autre tactique.

— Ah non ! J'ai fait ma part, je ne vais pas recommencer ! D'ailleurs... ce n'est pas tout. Je lui ai dit : Je crois que Basilica s'intéresse à toi.

— Non... mais tu m'as trahie !

— C'était la façon la plus sûre de ne pas passer pour ton émissaire.

Je me suis sentie défaillir et c'est bien ce que Rani cherchait en étirant son histoire, en la saupoudrant de retournements pour le moins éprouvants pour moi.

— Il m'a affirmé le plus spontanément du monde qu'il n'en était rien, que tu ne l'aimais pas, il en était certain, que ce que tu ressentais pour lui n'était pas de l'amour. Voilà, c'est tout, je n'en sais pas plus.

Après avoir subi toute cette pression et entendu ce dénouement, je me suis caché le visage dans les mains, étranglée par l'émotion. Rani a suggéré qu'on jette un coup d'œil au cellier, on y trouverait sûrement un remontant qui m'apaiserait. J'étais toujours disposée à partager mes joyaux en réserve quand quelqu'un insistait pour m'accompagner dans mes libations.

□

J'avais attendu avec impatience ce dimanche matin parce que c'était l'autre journée de congé d'Olivier. Évidemment, je ne voulais pas le réveiller, car il était rentré très tard. Enfin, je n'avais rien entendu. Faut dire qu'aussitôt Rani partie, j'étais tombée dans un état comateux. Le *black-out* total. Les souliers d'Olivier devant la porte me confirmaient qu'il était bien dans sa chambre. J'ai donc bu mon café en lisant mon journal, activité qui révulsait mon jeune ami qui gaspillait ses rares temps libres collé devant la télé à dévorer n'importe quelle ânerie. Je supposais qu'ayant été privé pour ainsi dire toute sa vie de cette denrée, il ingurgitait tout sans discrimination avec le même plaisir. Avant, j'avais pris soin de me faire une beauté pour être présentable au cas où il se lèverait et viendrait me rejoindre dans la cuisine. Cette mise au point a exigé du doigté parce que mon visage était tout boursouflé ; j'avais du vin coagulé d'incrusté sur mes lèvres gercées. La misère !

Il était dix heures lorsque Olivier est sorti de sa chambre tout habillé. Il portait un drôle de costume beaucoup trop sérieux qui lui conférait un air vieux et démodé. Affublé de ce costume bon marché, il me présentait un triste avant-goût de ce qu'il pourrait être dans quelques années. J'avais l'impression de voir un homme accablé de soucis, un père de famille qui trime dur et qui profite tant bien que mal de sa pause du dimanche.

— Qu'est-ce que tu fous dans ce drôle de complet ?

— Je m'en vais à l'église.

— Non, c'est pas possible ! Quelle église ?

— L'église baptiste-évangélique. Je m'y rends tous les dimanches, j'y passe toute la journée.

— Toute la journée !

— Je chante dans la chorale, je rencontre des amis, des gens de la communauté.

— Tu vas là pour voir du monde ?

— Oui, mais pas seulement pour ça. J'y vais pour prier.

Pour prier. Cette réponse, je l'ai avalée de travers. Est-ce que je tenais vraiment à m'acoquiner avec un croyant retors, sans le sou et presque analphabète ? Je me sentais déboussolée devant cet accident de parcours imprévu. Je lui ai dit que je trouvais ça débile, mais là, j'aggravais ma situation.

— Comme ça, tu pars pour la journée ?

— Oui, je soupe là-bas. Il y a un buffet à cinq heures.

Souper là-bas... C'était plus que la journée... c'était une éternité ! Moi qui n'avais plus de temps à perdre... ce que j'avais anticipé s'écroulait au fur et à mesure. Je l'aurais secoué, frappé, ligoté, séquestré ; au lieu de cela, j'ai agrippé une chaise parce que mes genoux fléchissaient.

— Tu ne veux jamais rester avec moi, que je lui ai dit en sanglotant.

— Accompagne-moi.

Ah non ! C'était trop exiger de moi que de régresser jusque-là. La dernière fois que j'avais fréquenté une église, c'était le jour de mon baptême. Ma mère n'avait pas eu le choix de me faire subir ce sacrement parce qu'à l'époque, il n'y avait pas d'enregistrement civil.

Olivier est parti dans son église sans même prendre son petit-déjeuner, et moi je suis restée dans mon appartement aussi seule et coincée qu'une civette en cage dans une gargote de Pékin. J'avais vu le traitement qu'on infligeait à cette bestiole asiatique à la télé, ça m'avait retournée.

Depuis qu'Olivier habitait chez moi, on n'avait pas fait l'amour une seule fois. Je m'étais dit : dimanche, on verra, on verra dimanche. C'était clair, il se foutait de moi, même le dimanche. Mais, étrangement, je ne parvenais pas à lui en vouloir. J'ai profité de cette journée en solitaire pour ramasser les vestiges de la veille : le poêlon empestait le poisson, les verres et les bouteilles traînaient dans le salon sur un nid de cendres et d'écales d'avelines. J'étais négligée et ma femme de ménage plus que moi. Faut dire que je ne l'encourageais pas trop à mettre de l'ordre.

Ça m'a changé les idées, le ménage. Aussi, lorsque Olivier est rentré le soir après sa sainte journée de prières, je ne l'ai même pas boudé. Au contraire, je lui avais préparé une soupe qu'il n'a pas refusée malgré le buffet qu'on lui avait servi au temple. On s'est assis à la table de cuisine. C'était sympa, manger une soupe ensemble. On jasait de tout et de rien. Il a fallu qu'il m'assomme avec cette question-là :

— Quel âge as-tu, Basilica ?

Je ne me suis pas gênée pour lui faire savoir que c'était MA question. Je n'aimais pas qu'on se l'approprie à n'importe quel moment.

— Allons, dis-le-moi !

— Je suis vieille, que je lui ai répondu sèchement.

— Mais non, t'es pas vieille, a-t-il ajouté, tout mielleux pour m'amadouer.

— Cinquante, c'est vieux.

— Juste cinquante ! C'est pas vieux.

— Petit con… juste cinquante ! Tu pensais que j'avais plus ?

— Mais non. Tout ce que je veux dire, c'est que cinquante, c'est pas la fin du monde.

— T'as dit : juste cinquante. Comme si j'avais l'air d'en avoir soixante.

— Voyons donc, Basilica, j'ai dit ça pour t'encourager.

Là, je boudais. M'encourager à quoi, hein ?

— Pour moi, l'âge n'a pas d'importance.

— Facile à dire quand on a vingt ans. Moi non plus, ça ne me dérangeait pas, à vingt ans, que les autres aient cinquante. Bien que… en fait, je trouvais ça très vieux.

— Toi, t'es pas vieille. Dans ton cœur, t'es pas vieille.

— Arrête, Olivier, tu empires la situation ! Mon cœur, je m'en fous ! C'est physiquement qui m'importe et, physiquement, je fais au moins cinquante ans.

— Je sais pas. Je n'avais jamais pensé à ça.

— T'aurais pas dû me demander ça. Et moi, j'aurais pas dû te répondre.

— Il faut vivre avec son âge.

— Je veux bien vivre avec mon âge, mais pas au-delà.

— Je n'y connais rien, moi, aux femmes de cinquante ans. Mon père, il en a quarante et un.

— Aussi bien dire que j'ai l'âge de ta grand-mère.

— T'exagères encore. Ma grand-mère a soixante ans.

— Soixante. Et j'ai l'air vieux comme ta grand-mère ?

— T'es folle !

— T'as vu les femmes de cinquante ans ? Elles ont l'air de… de… Moi, je n'ai pas cet air-là.

— C'est vrai, mais on le devine que tu as cinquante ans. C'est pas un défaut. Tu préférerais que je te mente ?

— J'aurais préféré une autre vérité. Tu ne me fais jamais de compliments. Jamais de mots gentils.

À son tour, Olivier a affiché une moue boudeuse. Cette discussion l'irritait. Il n'avait pas envie de me suivre sur ce terrain. Il ne cherchait pas à me blesser, mais ça ne l'intéressait pas.

— Dorénavant, je ferai attention. Je ne dirai pas la vérité.

— C'est pas ce que je te demande, mais dans les vérités, il y en a peut-être qui peuvent me faire plaisir. Ce sont ces vérités-là que j'aimerais entendre. Les autres… je suis pas certaine.

Je n'ai pas eu droit à d'autres vérités de la soirée. Il me refusait tout compliment, ou encore il n'avait aucune vérité en réserve qui aurait pu me plaire. C'était vraiment désolant. Avec Olivier, les discussions se terminaient souvent sur cette note. Je repartais presque toujours déçue. Je ratais tous mes combats. J'étais toujours en queue de peloton. J'avais toujours en réserve des questions qui amenaient des réponses décevantes. Une qui me brûlait les lèvres était : alors pourquoi avoir fait l'amour avec moi ? Celle-là, je l'ai ravalée pour ne pas provoquer une catastrophe ou la fin de ses aumônes parce que je craignais de passer une nuit blanche. J'ai tout de même insisté pour qu'il me donne des explications.

— Olivier, tu m'avais dit que, la nuit, tu rêvais de moi. C'était avant que tu ne viennes habiter ici. Est-ce que ça t'arrive encore parfois ?

— Tu sais, je suis vraiment crevé.

— T'es pas obligé de travailler autant. Tu pourrais travailler à temps partiel.

— Non, non, je m'éterniserai pas ici. Il faut que j'aie mon propre appartement.

— Mais pourquoi ? T'es pas bien ici ?

— Si, je suis vraiment reconnaissant pour tout ce que tu fais pour moi. Mais j'ai besoin de mon chez-moi à moi.

— Pourquoi, Olivier ? Le temps que tu étudies, tu devrais pas te préoccuper de tout ça. Moi, je peux t'aider. Ça me plaît de t'aider.

C'est sur un silence prolongé d'Olivier que je suis allée au lit. Je n'ai pas vraiment bien dormi. Lui écoutait la télé dans sa chambre ; la voix d'Eddy Murphy parvenait jusqu'à mes oreilles, ainsi que le bruit des coups de feu et des poings qui frappent sur la gueule. Quelle perte de temps !

□

Le lundi soir, quand je suis rentrée, j'ai vu les souliers d'Olivier devant la porte. Il n'était pas allé travailler. Le problème, c'est qu'il n'y avait pas qu'une paire de chaussures, mais bien deux, alignées sur le paillasson, dont celle d'une jeune fille. C'étaient des chaussures à semelles épaisses et d'un matériau grossier qui n'avaient rien de féminin. Ça ne m'enchantait pas de rencontrer une copine d'Olivier, surtout s'il s'agissait d'une élève de l'école. Jusqu'à maintenant, on avait réussi à ne pas propager la nouvelle de notre cohabitation. Évidemment, je m'attendais à ce qu'un jour ou l'autre, Olivier ramène des amis à la maison. C'était de son âge. Je ne pouvais pas lui interdire de fréquenter des amis.

Il n'y avait personne dans le salon, personne dans la cuisine, et la porte de sa chambre était fermée. Il était donc derrière cette porte avec une fille. Olivier savait que je rentrerais à cette heure et que je verrais les deux paires de chaussures devant la porte. Il savait que je serais bouleversée. Cette comédie était intentionnelle. Ces souliers-là étaient pour moi. Voulait-il se montrer le plus fort ? Cherchait-il à me punir d'être une athée insouciante ou me signifier une horreur bien pire encore ?

J'ai fait comme si de rien n'était – je ne pouvais pas expulser la fille de la chambre. J'ai préparé des pâtes pour trois personnes. Ou bien je mangerais le tout, ou bien je leur en offrirais. Je méditais sur cette alternative en hachant les oignons, l'ail et le poivron. Le ventilateur de la hotte couvrait les bruits, ceux que je préférais ne pas entendre, en supposant que j'aurais pu en entendre. Je ne prenais pas de chance. Je cogitais sur la façon de traverser cette épreuve la tête haute. L'idée de les inviter à partager mon repas m'apparaissait comme l'option la moins douloureuse. Les légumes qui rissolaient dans l'huile d'olive dégageaient un parfum aussi réconfortant qu'un riz à la créole. J'ai ajouté des pignons et des fines herbes. Peut-être qu'Olivier se montrerait sensible à ces arômes... louerait mes talents de cuisinière... chasserait l'intruse pour dévorer sa part de bucatini... enfin s'avouerait accro à mes chaudrons, à mon appartement, à moi. Pourquoi pas ? Quand les pâtes furent *al dente,* j'ai frappé à la porte de la chambre. Personne n'a répondu.

Devant la porte d'entrée, les deux paires de souliers avaient disparu.

□

Moi qui n'avais jamais invité Vladim chez moi depuis le temps qu'on travaillait ensemble, j'ai supposé que sa présence ce dimanche soir me vengerait de l'affront qu'Olivier m'avait fait subir le lundi en hébergeant dans sa chambre une fille portant des chaussures à plates-formes. Vladim, qui vivait seul depuis que sa femme l'avait laissé trois ans auparavant pour un acrobate serbe de dix ans son cadet, était tout heureux de cette invitation. Il s'est présenté à l'heure exacte et sur son trente et un, c'est-à-dire qu'il portait un veston acheté pour une occasion qui ne s'était jamais présentée, alors que maintenant... l'occasion... enfin. Dans une main, il tenait un sac aux motifs d'anniversaire contenant une bouteille de vin hongrois, dans l'autre un sac de plastique presque vide.

Évidemment, je risquais que Vladim se montre aussi offusqué que Victor si je ne finissais pas la soirée au lit avec lui. Ce qui m'embêterait énormément. Certes, le risque subsistait, mais Vladim était plus gentleman que Victor.

À cette heure, les cérémonies religieuses d'Olivier étaient terminées depuis longtemps, le buffet de l'amitié aussi, mais Olivier n'arrivait pas. Et moi qui avais manigancé ce souper pour le provoquer!

Je me suis montrée accueillante envers Vladim parce qu'il traversait une période difficile. Enfin, c'est ce que Luc nous disait, moi je lui trouvais plutôt bonne mine.

—Comme ça, tu bricoles toute la journée?

—Non, pas exactement.

—Alors qu'est-ce que tu fais exactement?

—Je fabrique des bijoux, qu'il m'a confié.

Je nous ai servi un apéro pour détendre l'atmosphère et pour passer le temps. Enfin, pour prendre le temps qu'il fallait pour qu'Olivier rentre à la maison.

—D'ailleurs, Basilica, je t'en ai apporté un pour te remercier de ta gentille invitation.

Il se tortillait sur son fauteuil, son sourire contracté par la gêne. Il a sorti un bijou du sac de plastique qu'il gardait près de lui depuis son arrivée.

C'était un joli collier de fausses perles très colorées. En fait, je n'avais jamais rien vu d'aussi coloré. À croire que Vladim avait pigé au hasard dans un tas de perles multicolores et les avait agencées de façon tout aussi aléatoire. Un collier joyeux plein de surprises qui ressemblait à un poème d'Olivier. Ouais, c'est ce que j'ai pensé en examinant ce collier bizarre.

—Wow ! Tu as du talent, Vladim ! que je lui ai dit avec sincérité. Je crois que tu vas avoir du succès avec tes bijoux.

Je lui ai servi un autre verre parce qu'il se contorsionnait de plus en plus dans son fauteuil avec tous ces compliments.

Après l'apéro, nous sommes passés à la salle à manger et j'ai tamisé les lumières. Lorsque Olivier rentrerait, il nous verrait en tête-à-tête à la chandelle et, on ne sait jamais, il aurait peut-être alors un petit pincement au cœur. J'attendais qu'il fasse irruption dans l'appartement, surtout que nous avions maintenant terminé l'osso buco. Je servais le dessert quand Olivier est rentré enfin. Discret comme d'habitude, il n'osait pas s'avancer dans la salle à manger, mais je l'ai accroché avant qu'il ne disparaisse dans sa chambre.

—Voyons, Oivier, viens dire bonsoir à mon invité.

Il s'est approché, intimidé par Vladim qu'il connaissait pour l'avoir vu à l'école.

—Bonsoir. Vous allez bien, j'espère ? qu'il lui a demandé en faisant allusion à son absence prolongée.

—J'ai toujours été très bien, lui a répondu Vladim avec son sourire gigantesque qu'il gardait parce qu'il n'avait pas encore compris que l'arrivée d'Olivier signifiait pour lui son départ prochain.

J'ai invité Oliver à partager avec nous le sabayon que j'avais préparé, et il a accepté. Même qu'il s'est incrusté. Le dessert ? La jalousie ? La fierté de passer cette soirée entre deux profs pas si bêtes ? Il a redemandé du sabayon et moi, je l'encourageais à rester au risque de peiner Vladim par cette intrusion dans notre souper intime. Je ne voyais plus clair, la réaction de Vladim m'indifférait et Olivier s'animait, prenait ses aises. On rigolait pour un rien, Olivier et moi, nous étions de connivence sur tout. Au début, il avait peut-être eu l'intention de gâcher ce repas mais, finalement, ç'a été un de nos moments forts, à Olivier et moi.

Après le départ de Vladim, on a rangé ensemble la cuisine en se taquinant par-devers le comptoir, entre deux baisers. Puis il a accepté de venir dans ma chambre. Peut-être bien que c'était son idée à lui après tout. Ou notre idée à nous deux, ouais. Jamais il ne s'était montré aussi entreprenant. Ses mains glissaient plus aisément sur mon corps, s'attardaient là où il le fallait. Il m'a prise par derrière, à genoux contre le lit, mon ventre appuyé sur le matelas. Je n'ai pas eu le temps de jouir, il est venu beaucoup trop vite.

Le lendemain, je me suis montrée affectueuse avec Olivier, je lui ai préparé un petit-déjeuner, je l'ai traité comme si on avait conclu un pacte entre nous, que maintenant notre relation était claire, qu'on formait un couple, quoi ! Mais lui, il gardait ses distances.

Il jouait vraiment avec mes nerfs. Même qu'il m'a dit après avoir avalé son jus d'orange qu'il valait mieux ne plus recommencer, que la situation n'était pas saine. Ouais, c'est ça qu'il m'a dit : pas saine. Après, il a mangé les rôties que je lui avais tartinées comme si la question était réglée. Comme si l'axe de la Terre ne venait pas de basculer de plusieurs degrés, que nous ne marchions pas pieds nus sur des cailloux pointus, que les traces de nos pas ne s'effaçaient pas sous l'averse de neige de décembre qui s'amorçait.

Je ne contrôlais pas ma vie. Je ne pouvais même pas planifier les vingt-quatre prochaines heures.

Il a pris son autobus et moi, ma voiture. La neige continuait d'étaler son manteau d'oubli.

Chapitre 10

— MOI, JE TE CONSEILLE un chien. Ça te fera prendre l'air et il te tiendra compagnie. T'es trop seule, Basilica. Depuis que j'ai Ti-minet, je me sens beaucoup mieux, m'a dit Alice.

Je n'avais parlé à personne, sauf à Vladim, de mon chambreur. J'aimais mieux garder mes distances, car mes collègues s'imagineraient n'importe quoi et ça ne serait pas tout à fait faux.

— Je n'ai vraiment pas besoin d'un chien pour me désennuyer. Je n'ai pas l'intention de me lier à un animal qui empiétera sur ma liberté, passera sa journée à m'attendre en pleurnichant pour augmenter mon sentiment de culpabilité et m'égratignera les jambes avec ses ongles.

— Griffes, on dit griffes, a corrigé Patricia.

— Je m'en fous.

— Aujourd'hui, les gens qui ont des chiens les laissent dans des pensions lorsqu'ils partent en voyage. Et le soir, ils engagent des *doggy-sitters* pour leur tenir compagnie, a-t-elle précisé.

— Tout ça, c'est de l'argent jeté par les fenêtres.

— Et où le jettes-tu, ton argent ? Moi, j'ai l'impression que tu dois en avoir pas mal dans ton bas de laine.

J'ai failli m'étouffer.

—Non mais, tu veux voir mon budget et mes factures du mois ?

Elle ne comprenait pas l'ampleur des montants que j'investissais à mon âge pour me maintenir à flot. Plus question de me parfumer aux essences de muguet ou d'enfiler un tricot *made in Korea*.

—Fâche-toi pas.

—Il faut faire attention avec Basilica, elle est très sensible ces temps-ci, a dit Alice.

Je me suis levée, exaspérée, et suis allée essuyer quelques larmes dans les toilettes. Les larmes ne m'avantageaient vraiment pas. J'ai eu une vision sinistre de moi-même, le nez collé sur la glace au-dessus du lavabo. Je fixais avec dédain mon image. Je suis sortie longtemps après, le temps que mes yeux dérougissent, le temps que je me calme.

—Au lieu de saupoudrer des aphrodisiaques dans mon café, passe-moi donc un de tes calmants, que j'ai hurlé à Victor qui s'était vanté plus d'une fois d'ingurgiter quatre variétés d'antidépresseurs.

—Non mais t'es dingue ! Tu crois que j'ai foutu un produit quelconque dans ton café ?

—Disons que ça m'étonnerait pas de toi.

—Puis mes calmants me sont donnés sous prescription, je n'ai pas le droit de les distribuer à n'importe qui.

—Un, pas des tonnes.

—Zéro, tu veux dire ?

Je me retenais pour ne pas l'agresser. Je lui ai montré dix dollars, il a accepté de me remettre deux comprimés que j'ai avalés avec un café noir très fort. Ils m'ont fait un effet foudroyant.

J'ai titubé jusqu'à la cafétéria pour m'acheter une tablette de chocolat dans une distributrice parce que, dans l'état où j'étais, il me fallait des compensations, et vite. Là j'ai vu, plantées sur des semelles de deux pouces, identiques à celles qui traînaient chez moi il y avait une semaine, deux longues jambes effilées qui n'en finissaient plus de m'insulter. Une fille splendide de dix-huit ou dix-neuf ans à la peau café au lait. J'espérais au moins qu'elle souffre d'une quelconque déficience. Je suis allée la voir pour une estimation.

— Tu ne serais pas la petite amie d'Olivier ? que je lui ai demandé.

— Disons que je suis une bonne amie.

— C'est parce que tu as oublié quelque chose dans sa chambre.

Finalement, elle n'avait pas l'air si serine bien qu'elle ne comprît pas exactement mon intention.

— J'imagine que vous m'avez rapporté ce quelque chose.

— Pas exactement, tu le demanderas à Olivier, c'est lui qui l'a.

J'étais assez satisfaite de mon impro. Olivier sera surpris que j'aie retracé sa gonzesse et que je la lui renvoie comme ça, que je me disais.

— Alors, c'est chez vous qu'il habite, Olivier ?

Nous nous sommes regardées un moment sans rien dire. On se jaugeait, quoi.

— Vous savez, il vous estime beaucoup.

Avec tout ce que je faisais pour ce garçon, le contraire aurait été plutôt vexant. Mais l'estime, je n'en avais rien à foutre.

Je restais figée devant la fille qui maintenant gigotait sur ses plates-formes.

— Et qu'est-ce que j'ai oublié dans la chambre ?

Je n'ai pas répondu, je me suis contentée de lui envoyer un clin d'œil pour qu'elle s'imagine n'importe quoi. Je suis retournée dans la salle des profs avec l'estime de l'autre pour seul profit et toutes les spéculations qui surgissaient dans ma tête. Quand la fille questionnerait Olivier sur ce qu'elle avait perdu, il comprendrait que je n'étais pas dupe. Et puis là... Je n'arrêtais pas de supposer tout ce qui se tramerait dans sa tête à lui. Mon cerveau roulait avec la pédale d'accélérateur collée au plancher.

Je me suis préparé un deuxième café pour reprendre mon équilibre avant la période de cours suivante.

— Ç'a été la pire des sessions depuis que je travaille ici, a dit Luc.

— C'est la même chose chaque session, a ajouté Patricia.

— Non, l'année dernière, il y avait des activités.

— Mais qu'est-ce que t'attends pour en organiser, des activités ? Quand on veut en préparer, vous dites que c'est trop d'ouvrage ; quand il n'y en a pas, vous trouvez ça ennuyant. Faudrait se brancher.

Des activités culturelles ou interculturelles, j'en avais plein à leur suggérer. Mais tout compte fait, j'aimais mieux braconner en solitaire.

— Pourquoi se brancher ? Tu as raison, préparer des activités, c'est fatiguant et s'en priver, c'est emmerdant.

— C'est le dilemme, a conclu Alice.

— Donc on n'est jamais heureux.

— C'est vrai. Surtout que le café ici n'est pas buvable, a dit Victor.

— Ton lait est encore suri. C'est pas le café.

— Et qui fait surir le lait ?

— Clarisse ?

— Lâche-la, Clarisse. Elle ne m'intéresse pas. Je ne m'intéresse pas aux petites filles, moi, qu'a hurlé Victor.

— Moi, je m'intéresse aux petits gars, que je lui ai dit.

Tout le monde s'est retourné vers moi, avachie dans mon fauteuil, sans lunch, sans journal, sans toute ma tête, à siroter mon concentré de café. Ils m'auraient écrouée sur-le-champ pour abus de mineurs. Mon laisser-aller dégageait des relents de cul-de-sac indonésien. On cherchait sur mon visage les marques de ma concupiscence et on les percevait finalement : cheveux mal coiffés, chemisier trop échancré.

— Et qu'est-ce que ça signifie ?

— Ils sont bien, les petits gars, non ? que j'ai rajouté avec un petit ricanement comme si j'étais ivre.

Effluves de bars thaïlandais . Ouvrez les lumières et embarquez-moi tout ce beau monde.

— Moi, j'en prendrais bien un café aussi.

— Y a d'autre lait dans le frigo. Et en passant, jette le vieux suri pour qu'on se trompe plus.

— C'est pas mon tour pour le ménage du frigo.

— Quels petits gars trouves-tu si bien ?

— Presque tous.

— Non, il n'y a pas d'autre lait.

— Prends-en donc pas de café.

— Ils t'intéressent dans quel sens, les petits gars ? Au niveau pédagogique ou autrement ?

— Lâche-moi la pédagogie. C'est la dernière chose qui m'intéresse.

— Tu devrais pas dire autant de balivernes, m'a avertie Patricia qui moralisait tout le temps. T'as peut-être besoin d'un congé. Moi, je suis fatiguée, mais je suis pas prête à affirmer que la pédagogie ne m'intéresse pas.

— Ça t'intéresse comment, toi, la pédagogie ?

— Qu'est-ce que tu veux dire ?

Je n'ai pas insisté parce qu'on n'était pas du tout sur la même longueur d'onde. Je dirais même que sur le front, on était dans deux camps adverses. Il y avait moi et les autres, Victor compris.

La solution qui s'imposait, c'était de battre en retraite temporairement pour faire oublier mes grossièretés. Quelle était cette fêlure qui m'isolait de plus en plus de mes collègues ? Ouais, pourquoi me retrouvais-je séparée de l'ensemble de l'humanité ? Si de prime abord j'avais choisi cette coupure que j'avais jugée essentielle, il n'en demeurait pas moins qu'elle m'entraînait irrémédiablement vers la catastrophe, et rapidement.

□

Avant de préparer le souper, j'ai débouché une bouteille de vin. Après le deuxième verre, je n'ai pas eu le courage de le préparer. Je commençais à drôlement déconner. J'ai décidé d'attendre Olivier et de lui dire ce que je pensais, moi, de lui. Ouais. Au dernier verre, j'en avais marre de ce petit con-là et j'avais la ferme intention de l'en informer. Et c'est ce que j'ai fait à onze heures quarante-sept quand il a ouvert doucement la porte, étant donné l'heure tardive. J'étais là, juste devant cette porte, accotée sur le mur pour ne pas trop vaciller. Il n'avait pas les deux pieds sur le paillasson que je l'ai apostrophé. Je lui ai expliqué tout ce que j'étais, moi, et tout ce qu'il n'était pas, lui ; tout ce que je connaissais et tout ce qu'il ignorait. Moi, moi, petit, que je lui crachais au visage. Et là, je lui ai débité ceci et cela, mes études, mes stages à l'étranger, mes lectures, ma culture, mes goûts raffinés, mes voyages, mais aussi mes engagements politiques, ouais, j'avais des convictions, moi, alors que lui ignorait jusqu'au prénom d'Aristide. Et surtout la fulgurance de ma passion comparée à la tiédeur de ses sentiments.

— Moi, je trouve que t'as jamais voyagé. T'as jamais visité un pays noir. Tu sais pas ce que c'est. Tu sais pas regarder. C'est plein de trucs que tu vois pas. C'est plein d'âmes et de mystères que tu ignores. Tu ne crois en rien. Tu n'as plus de rêves. T'es enfermée dans ton monde étroit et étouffant. Tu t'intéresses à la température de ton cellier et à la repousse de ta décoloration.

C'est ça qu'il m'a dit en me tassant pour se frayer un chemin. J'ai avalé ces reproches qui de toute évidence étaient mérités bien qu'ils me soient apparus assez énigmatiques. J'étais d'accord avec toutes ses invectives même si je n'avais jamais été quelqu'un de vraiment futile. Des problèmes, je n'en cherchais pas, il y en avait assez sur la planète dont je me sentais responsable. Ceux qui débordaient du cadre – pour ma part assez vaste – de mon univers tangible ne me concernaient pas. Surtout que maintenant, si on me parlait trop fort, je courais aux toilettes pour pleurer. Dans les corridors, si un élève me bousculait par mégarde, j'étais retenue accidentellement par un autre. C'est ainsi que je me maintenais en équilibre. Les mystères dont faisait allusion Olivier n'auraient qu'aggravé ma situation déjà si précaire.

Mon militantisme ne s'exprimait pas nécessairement de façon évidente, mais... mais...

— C'est trop dangereux, Haïti, que j'ai fini par dire.

— C'est pas dangereux. C'est dans ta tête de petite Blanche peureuse et snob.

C'était beaucoup, tout ça, mon ami Olivier. Pourquoi me lancer ces reproches au lieu de tout simplement m'embrasser? J'ai pris sa main et l'ai caressée. « Tu as raison, que je lui ai dit, soyons amis, et embrassons-nous. » Il a passé sa main libre dans mes cheveux, découragé par tant d'insouciance, presque vaincu.

— Pardonne-moi. T'es si gentille, Basilica.

Des larmes coulaient sur mes joues, je devais être affreuse avec mes lèvres bleuies de vin ; j'essayais de ne pas trop grimacer et de ne pas empirer ce qui me restait de respectabilité et d'apparence.

Je devais me faire à l'idée qu'Olivier n'était pas pour moi et assumer ma solitude. Une réorientation s'imposait.

J'ai appelé Alice à minuit et quart, c'est-à-dire aussitôt qu'Olivier s'est couché, pour lui parler de la journée éprouvante que nous avions eue à l'école ce jour-là et de la soirée horrible que je venais de passer. J'étais mal à l'aise maintenant parce que mon attitude de l'après-midi en avait heurté plus d'un. Moi, Alice, je l'aimais bien. Et puis l'école était mon unique milieu. Ouais, je regrettais d'avoir laissé libre cours à mon impulsivité, car j'avais besoin, moi, de ce milieu où je travaillais. Je n'en fréquentais pas d'autres et il m'assurait une certaine stabilité, un ancrage. Même que j'acceptais mal les congés des uns ou les transferts des autres. Surtout les transferts. Ça représentait une coupure importante chaque fois. Un deuil à faire. Enfin, chacun occupait une place significative dans mon espace mental. Comment me repérer s'il fallait tout chambarder à tout bout de champ? Pourtant, je ne laissais pas une trace indélébile sur les professeurs de passage. J'aurais quitté le circuit que peu s'en seraient aperçus. « Coup donc, cette fille avec un drôle de nom qui lisait à la table du fond, a-t-elle fait sa part de ménage ? A-t-elle renouvelé sa cotisation au fonds social des enseignants ? »

Charitable comme toujours, Alice ne m'a pas haranguée avec un sermon sur l'heure insolite de mon coup de téléphone ni sur les balivernes, enfin de son point de vue à elle, que j'avais déblatérées à l'heure du lunch. Je m'accrochais à elle pour ne pas être abandonnée dans cette nuit qui s'annonçait douloureuse. Elle essayait de m'encourager, de me donner des conseils, mais je n'écoutais pas vraiment ce qu'elle me racontait, j'examinais le comptoir sur lequel était le téléphone et les armoires juste au-dessus. Rani fait les coins ronds dans son ménage, que je me disais, résolue à tout laver en profondeur. J'astiquerais les robinets, la hotte, les lustres. Puis je dresserais une liste exhaustive de ce que j'avais à améliorer dans la maison. Ouais, il y avait tant à faire...

— C'est une mauvaise année. Hein, Basilica ?

— Ah... laquelle ?

— Ça empire d'année en année.

Je n'étais pas certaine si elle me parlait de l'école ou de l'état de ma cuisine.

— Ce n'est pas à nous de trouver une solution. C'est au conseiller pédagogique. Il est si nul ! a-t-elle ajouté.

Je me suis demandé deux secondes ce qu'un nul de son espèce venait faire dans l'entretien de ma cuisine.

— J'aimais bien Flavert, a-t-elle ajouté.

— Ouais, tu l'aimais bien...

Je n'ai pas poursuivi ma pensée, mais j'aurais préféré à minuit passé qu'on puisse parler d'autre chose que de notre travail. Quitte à se défouler sur Flavert.

— On donne des diplômes à rabais.

— Moi, Alice, je suis pour qu'on leur donne, aux élèves, ce fichu diplôme. Qu'on leur fiche la paix et qu'on leur donne. Tout le monde serait content. Les élèves obtiendraient leur diplôme, les profs auraient des belles réussites, on vanterait les directions en haut lieu. Même le ministère serait heureux. T'as pas envie d'être heureuse, Alice ?

— Ouais, t'es vraiment découragée.

— Pas encore, mais je n'attendrai pas de démissionner comme Vladim.

— T'as des nouvelles de lui ?

— Il fabrique des bijoux.

— …

— Ils sont super !

— Il n'est peut-être pas si capoté alors… Je veux pas te bousculer, ma Basilica, mais je te suggère de te coucher maintenant. On pourrait manger ensemble au resto demain midi, si tu veux.

Me coucher, ouais, j'étais pas vraiment en état de dormir. J'avais peur d'avoir offensé Olivier et qu'il m'en veuille encore le lendemain matin. Aussi j'ai mis mon réveil pour six heures afin de lui préparer un bon petit-déjeuner. À cinq heures, j'étais debout. À cinq heures dix, la table était mise.

Chapitre 11

OLIVIER PARAISSAIT plus fatigué de jour en jour. Après sa matinée à l'école, il avait à peine le temps de se changer et d'avaler un morceau en vitesse. D'ailleurs, j'avais pris l'habitude d'alléger sa tâche en lui préparant un lunch : sandwich, soupe ou salade – qu'il ne terminait jamais, mais je récidivais pour les vitamines. Je concoctais le tout avant de partir travailler, car d'ordinaire je ne rentrais pas dîner à la maison. J'arrivais vers quatre heures, alors qu'il était déjà parti.

Sa fatigue commençait à m'inquiéter, sans compter que son horaire d'enfer me privait de sa présence toute la semaine.

Ce midi-là, je suis rentrée à la maison parce que j'avais décidé de prendre mon après-midi pour régler quelques affaires. Il mangeait le lunch que je lui avais préparé. Ça m'a émue, ce lien alimentaire. Je me suis servi un bol de soupe pour l'accompagner. J'ai caressé sa main en sirotant mon potage aux légumes.

Nous n'avions jamais parlé de son travail dans la grande manufacture de vêtements. J'ai eu honte de ne pas m'être intéressée à son sort de travailleur immigrant surexploité.

— C'est difficile, ton travail ?

— Oui, c'est stressant.

— Qu'est-ce qui est stressant ?

— Je colle des étiquettes et je dois en coller beaucoup, beaucoup. Je dois travailler rapidement. Ça va vite, cette machine ! Si tu savais, si tu voyais ça ! qu'il m'a dit entre deux bouchées de sandwich.

Je voyais bien dans ses yeux combien ça allait vite, combien c'était difficile. Cette maudite machine lui imposait un rythme démentiel. Après son quart de travail, elle l'avait vidé de tout son suc. Il n'arrivait même plus à se concentrer sur ses études.

— Et puis, moins j'en fais, moins je suis payé. Pour gagner le salaire minimum je dois travailler très très vite.

— Je n'ai pas besoin de plus d'explications, j'ai beaucoup d'imagination. Olivier, je veux que tu stoppes immédiatement ce travail infernal. T'es bien ici avec moi.

— Non, non, moi je suis courageux et je dois être autonome. Je ne veux dépendre de personne.

Mais qu'est-ce qu'il y avait donc dans la tête de ce garçon ? Il préférait trimer comme un fou plutôt que de rester tranquillement avec moi.

— Tu n'aimes pas faire l'amour avec moi, lui ai-je dit, comme s'il y avait un lien entre son travail et nos rares relations intimes. Parce que j'interprétais tout à cette aune-là. Parce que j'étais suspicieuse comme personne. Parce que, ma foi, je perdais la tête.

— Je suis si fatigué…

— Oui, mais la question, c'est : est-ce que ça te plaît ?

— Oui… un peu.

— Un peu ?

— Oui… un peu.

Qu'est-ce qu'on pouvait ajouter à ça, et affirmé avec tant d'honnêteté et de naïveté ? Un peu. Ce n'était pas rien du tout... mais c'était peu. J'aurais pu insister pour obtenir des détails, pour qu'il précise de quoi était composé ce *peu* et surtout de quoi il n'était pas composé. Je n'avais pas peur de sa réponse, seulement de l'irriter par mes demandes incessantes. J'aurais pu aussi être très vexée par son comportement, son ingratitude et puis par son rejet de moi, de ma tendresse, de mon amour. Moi, je lui offrais tout moi, honnêtement, totalement, il pigeait, picorait dans mon assiette et vlan ! la repoussait aux trois-quarts pleine.

Maintenant que les choses étaient claires, je n'avais plus besoin des enquêtes de Rani. Aussitôt qu'Olivier a été parti, je lui ai téléphoné pour qu'elle cesse ses démarches. Il ne servait à rien d'empirer mon cas, d'écœurer Oliver jusqu'à la nausée. Je suis restée les yeux ouverts à fixer le plafond jusqu'aux petites heures du matin.

Moi qui carburais autrefois à neuf ou dix heures de sommeil, je suis rentrée dans ma classe le lendemain avec l'air d'un vrai zombie. Ce matin-là, j'ai ressenti un ennui immense, assise derrière mon bureau. Les minutes s'écoulaient trop lentement. J'aurais voulu être ailleurs. Mais où ? À midi, j'ai avalé trois cachets d'aspirine en guise de lunch et suis restée assise sur mon fauteuil à roulettes, là même où j'avais passé toute la matinée à m'ennuyer. Peut-être que j'espérais une visite d'Olivier, un mot d'excuse, une explication. Il m'aurait juré que j'avais mal interprété ses paroles, que pour lui, « un peu » signifiait « beaucoup » et que « plus » il le réservait à sa future femme. Puis je me disais qu'un peu, c'était même plus que ce qu'il pensait de moi. En fait, j'étais plus près du rien du tout que du peu. C'était sa façon à lui d'être poli, de ne pas me blesser, moi qui l'accueillais si généreusement. Puis, j'ai supposé que ce peu n'était pas rien du tout, mais moins que cela encore, que faire l'amour avec moi avait été un geste de grande générosité de sa part, quelque chose qu'il n'avait vraiment pas l'intention de répéter. Je suis partie chez moi avant une heure et j'ai appelé la secrétaire de l'école de mon cellulaire pour l'avertir de mon absence de l'après-midi. D'ailleurs, absente, je l'étais depuis le début de cette matinée.

J'ai stationné la voiture sur une avenue tranquille et suis restée dans le vague près d'une demi-heure, assise derrière le volant, le téléphone dans la main.

Je ne savais plus trop où m'orienter, quoi faire. J'étais coincée sur une avenue inconnue, dans l'absurdité, dans un lieu de moi-même dévasté par trop de luttes. C'est un agent qui en frappant sur la vitre de ma portière m'a ramenée sur terre. Il a dû me trouver bien étrange ; j'avais le regard d'une perdue lorsqu'il s'est adressé à moi.

— Ça va, ma petite dame ? Vous ne pouvez pas vous garer ici, c'est interdit.

— C'est écrit « défense de stationner excepté le lundi et le jeudi de dix heures à treize heures », que j'ai dit en lui montrant le panneau.

— Exactement.

— On est jeudi.

— Oui et il est treize heures trente.

Je ne comprenais rien à ses calculs. Mon esprit hypothético-déductif était à plat. J'ai fait démarrer la voiture et suis rentrée chez moi. Olivier n'était pas parti encore au travail, cela me gênait, car je n'avais pas la force de l'affronter. Je me suis rendue directement dans ma chambre et j'ai fermé la porte.

Chapitre 12

— J'AI LU DANS LE JOURNAL que les jeux de société aident les vieux à entretenir leur mémoire mieux que la lecture. De plus, ceux qui jouent sont plus heureux, plus gais que les autres. On devrait peut-être essayer, a dit Patricia, toujours à la recherche de nouvelles approches pédagogiques.

— Tu ne lis que les faits divers.

— C'est pas un fait divers. Ce sont les résultats d'une recherche importante sur le vieillissement. On devrait jouer à l'heure du dîner.

— Au bingo ?

— Quand même pas !

— Laisse-moi lire plutôt que de me raconter tes niaiseries.

— On annonce de la neige. Beaucoup de neige, a dit Alice, le nez collé à la fenêtre.

— Espérons qu'il y en aura vraiment beaucoup.

— Et qu'on va être tous prisonniers dans nos maisons demain matin.

— C'est beau, une tempête, quand on flâne à la maison.

— J'ai entendu dire qu'il n'y aurait que dix centimètres, énervons-nous pas trop.

— Ouais, juste assez pour nous donner de la misère et garder les écoles ouvertes.

— Moi, j'haïs pas ça la neige.

— Moi, j'haïs pas ça le Sud, a ajouté le conseiller.

— C'est triste Noël dans le Sud.

— Qu'est-ce qui n'est pas triste à Noël ?

— C'est beau, ton collier, Basilica.

— C'est Vladim qui me l'a offert.

— En quel honneur ?

— Ça te regarde pas, José, qu'a dit Alice.

— Non, non, c'est pas un secret. C'est sa nouvelle passion. Il confectionne des bijoux.

— Il a du talent, Vladim.

— Il n'est peut-être pas si timbré que ça, après tout.

— Comme ça, tu l'as vu, Vladim ? m'a demandé Luc, jaloux que j'aie un accès privilégié à son meilleur ami.

— Regardez, il a commencé à neiger, a dit Alice pour ne pas que j'aie à répondre à cet interrogatoire, tant pour moi que pour Luc qu'elle protégeait.

Il a neigé tout l'après-midi, de gros flocons lourds. Les élèves travaillaient en silence, influencés par ce temps qu'il faisait. Je n'avais pas allumé les néons. Le ciel était gris et cela créait une atmosphère calme et reposante. Je pensais à Olivier qui trimait sur sa colleuse d'étiquettes dans son immense manufacture infecte. Ça me traumatisait autant que les actualités sinistres qui s'étalaient sur les pages des journaux. Ouais, ces catastrophes me poursuivaient jusque sur le boulevard Henri-Bourassa où étaient cordés les HLM qui abritaient vingt-huit mille familles, dont la plupart de nos élèves, dans des trois et demie aux recoins infestés de champignons prolifiques, avec des garde-manger garnis de quarante-huit dollars et soixante-deux de bouffe sèche ou asséchée pour six personnes pour une semaine pour la vie ; et plus à l'est, les manufactures où ils bossaient.

□

Il était environ dix-neuf heures lorsque j'ai reçu ce téléphone d'Olivier. C'était la première fois qu'il prenait le temps de m'appeler de son boulot.

— T'es encore fâchée ?

— Pourquoi ?

— J'aime pas ça quand tu es triste.

— C'est gentil, Olivier, t'inquiète pas, j'ai des caprices de femme gâtée et pré-ménopausée (qui se vautre dans deux mois de congé estival payés, badigeonnés d'antipasti aux fruits de mer, ai-je pensé).

— Je veux que tu passes une bonne nuit.

— Non, vraiment, t'inquiète pas. Je t'embrasse.

— ...

— Je t'embrasse, Olivier. Tu pourrais me dire la même chose. Tu pourrais m'embrasser... en toute amitié.

J'ai entendu un petit *smack* super discret qui m'a fait sourire. Comme il était mignon ! J'avais tout ce qu'il fallait pour passer une très bonne nuit.

Le lendemain, je me suis réveillée devant un spectacle hivernal époustouflant. Il avait neigé toute la nuit, la couche de neige recouvrait totalement les voitures. J'ai écouté la radio en préparant du café dans l'espoir d'une bonne nouvelle, comme la fermeture des écoles. Si tout était fermé, Olivier dormirait toute la matinée. Après, moi, je lui mitonnerais un bon dîner. Ça serait comme un jour de fête. J'étais excitée comme une fillette. À la radio, on a donné le nom des écoles fermées et le centre d'éducation pour adultes où j'enseignais faisait partie de cette liste. J'ai couru d'une pièce à l'autre pour contempler dans chaque fenêtre le paysage éblouissant. Il continuait à neiger et les services de déneigement n'avaient heureusement pas commencé à détruire la beauté qui s'étalait devant moi.

J'ai bu mon café face à la fenêtre du salon. Un jour de congé comme celui-là comptait plus à mes yeux qu'un week-end complet.

En repassant dans le corridor pour me chercher un autre café, j'ai remarqué que les bottes d'Olivier n'étaient pas devant la porte d'entrée. Ma joie est tombée d'un seul coup. C'était comme une plongée dans l'horreur. Un grand frisson hivernal m'a parcourue. J'ai ouvert la porte de sa chambre ; le lit n'avait pas été défait. Olivier n'était pas rentré depuis hier. J'étais affolée et, je ne sais pas pourquoi, j'ai eu le réflexe de téléphoner à Rani. Fallait bien que je parle à quelqu'un.

— Rani ?

— Hum...

La fille venait de se lever, on le devinait au ton de sa voix.

— T'as vu Olivier ?

— Olivier ? Heu... oui.

— ...

— Je te le passe, un instant.

Moi qui appelais cette fille pour m'aider à surmonter mon épreuve ! Je ne m'attendais pas à une telle révélation. J'ai patienté cinq bonnes minutes à l'autre bout du fil sans qu'il ne se passe rien. J'ai raccroché. De toute façon, Olivier n'avait qu'à me rappeler, il savait maintenant que je m'inquiétais.

Il n'a pas rappelé immédiatement. Moi, rivée à mon téléphone, incapable de m'en éloigner de quelques pouces, je m'imaginais les pires scénarios : il avait couché avec Rani ; elle l'avait attiré chez elle pour se venger de moi ; Olivier était amoureux d'elle depuis longtemps ; ils se fréquentaient en cachette et se moquaient de ma naïveté. Toutes ces suppositions m'accablaient.

Une heure plus tard, le téléphone a sonné. J'ai répondu dès la première sonnerie, incapable de me contenir. C'était lui.

Je lui ai dit qu'il m'avait peinée.

— Mais, Basilica, je prenais un bain ! Je ne pouvais pas venir te parler immédiatement. Bien sûr, j'ai couché chez Rani à cause de la tempête. Elle habite à côté de l'usine. C'est tout. Tu t'imagines toutes sortes de choses et c'est tout faux.

— Mais tu aurais pu m'avertir.

— Basilica, je n'osais pas te réveiller à minuit.

— Et ce matin ?

— Ce matin, j'ai dormi plus tard que de coutume. C'était facile de deviner qu'on n'irait pas à l'école. Déjà que, dans la nuit, les rues étaient bloquées. Voilà, tout est simple. Tu as tout compliqué.

— Bien, bien, excuse-moi. J'étais inquiète, c'est tout.

Je lui ai dit de prendre son temps, ce qu'il aurait certainement fait sans ma recommandation. Il m'a annoncé qu'il ne rentrerait pas, qu'il était plus facile de se rendre à l'usine à partir de chez Rani. Cette nouvelle m'a coupé la respiration. Il passerait la journée avec cette fille. Son bain était pris. J'ai raccroché en lui disant « à la prochaine ». Il s'écoulerait près de quarante-huit heures avant que je ne le revoie, en étant optimiste.

□

J'avais Rani sur le cœur et ce n'est pas moi qui ai rappelé la première.

— Qu'est-ce que tu rumines ? Tu boudes ?

— Pourquoi cette question ? que je lui ai répondu sur un ton hautain. Tu as quelque chose à te reprocher ?

— Ne fais pas l'hypocrite, Basilica, tu ne m'as pas téléphoné depuis qu'Olivier est parti travailler. Tu t'es imaginé n'importe quoi. Olivier, c'est pas mon type. Je sortirais jamais avec un gars comme lui.

La chipie faisait tout pour me vexer.

— Olivier, lui non plus, ne fréquenterait jamais une fille comme toi.

— Ça, je n'en suis pas sûre, Basilica…

Elle en remettait, la salope. Je me répétais qu'elle n'avait que dix-neuf ans, alors qu'à mon âge, une femme comme moi, de mon éducation, de ma culture, de mon expérience, de ma condition devait se montrer magnanime et miséricordieuse face à une pauvre fille.

— Pourquoi ? Il t'a fait des avances ? que je lui ai demandé, plus calme pour qu'elle ne me ferme pas la ligne au nez.

— Enfin, c'est pas exactement des avances…

— C'est quoi, alors ?

Et j'ai ajouté aussitôt, pour la rendre plus sympathique à ma cause :

— Avoue-moi tout, Rani, pour que je ne perde pas mon temps avec lui.

— C'est vrai que tu perds ton temps avec ce type-là. Tu vaux mieux que lui, Basilica.

— De quelles avances parlais-tu tout à l'heure ?

— Je t'ai dit que ce n'était pas des avances.

— Tu as dis : « Pas exactement des avances. »

— Bon, d'accord… on a baisé ensemble.

— …

— Pis j'ai trouvé ça moche.

J'ai raccroché le téléphone et, assise sur un tabouret près du comptoir, j'ai analysé la céramique qui le recouvrait : vingt-huit rangées de carreaux par soixante-trois, entrecoupées à tous les sept rangs d'une bande de losanges aux couleurs complémentaires. Lorsque Olivier est rentré à minuit, j'y étais toujours, dans le noir. Je l'ai entendu se diriger dans sa chambre. Quelques minutes plus tard, il se traînait jusqu'à la salle de bains. C'est à ce moment-là qu'il m'a aperçue. Il s'est arrêté un instant, puis comprenant qu'il était la cause de mon désarroi, a préféré s'enfermer dans la salle de bains en paix.

Je me suis levée de mon siège et je me suis couchée tout habillée.

Trop exténuée pour jongler ne serait-ce qu'un peu, je me suis endormie. Le matin, je me suis réveillée avec Olivier collé contre moi. Je me sentais comme quelqu'un qui avait pris une cuite la veille. J'avais le visage bouffi, les yeux petits et collés. Mon maquillage, que je n'avais pas enlevé, avait coulé sur mes joues. J'étais dans un état pitoyable. Je me suis douchée et me suis coiffée. Je prenais mon temps pour me recomposer une apparence convenable : épilation des sourcils, mise en plis, parfumage, limage des ongles. Lorsque je suis sortie de la salle de bains, j'ai vu Olivier accoutré de son horrible costume du dimanche qui avalait son petit-déjeuner en vitesse.

— Qu'est-ce que tu fous ? C'est pas dimanche…

— Je m'en vais à l'église pour la répétition de la chorale.

— Il me semble qu'on a des choses à discuter.

— On m'attend, c'est important, on pratique pour la fête de Noël.

— Rani m'a tout raconté.

Olivier avait l'air surpris. Un petit air si naturel, si sincère qui conférait à chacune de ses paroles un statut de vérité.

— Elle m'a avoué que vous aviez fait l'amour ensemble.

Je me sentais ridicule de reprocher quoi que ce soit à ce garçon. Il ne m'était obligé en rien, mais rien ne m'arrêtait, mes censures avaient volé en éclat sous l'impact...

— C'est faux. On n'a pas fait l'amour ensemble.

— ...

— J'étais trop fatigué... Elle insistait, mais j'étais comme mort.

— Et si tu n'avais pas été fatigué ?

— Je sais pas, j'ai pas envie de penser à ça. Pour le moment, je peux pas vraiment avoir quelqu'un dans ma vie. Puis, plus tard, j'aimerais rencontrer quelqu'un qui partagera les mêmes rêves que moi et avec qui j'aurai des enfants. C'est normal, non ?

Je me balançais sur mes pieds, la tête basse et les mains jointes. Il avait toujours raison.

— Je dois y aller maintenant, mais tu peux m'accompagner.

— Je t'attends pour souper ?

— D'accord.

— On pourrait manger au restaurant.

— Oui, ça serait bien.

— J'irai te chercher à l'église.

— Disons à cinq heures.

— Disons à quatre heures.

□

Je n'avais pas eu beaucoup l'occasion de sortir avec Olivier et, dans ce restaurant de la rue Saint-Laurent, j'éprouvais une certaine gêne. Enfin, j'ignorais comment me comporter avec Olivier en public. Je lui ai suggéré d'agir comme s'il était mon fils. C'était simple pour lui qui n'avait pas de mère.

Il n'avait pas l'habitude des restaurants et c'était sans doute la première fois qu'il entrait dans un établissement de cette catégorie. Il était un peu perdu derrière son menu. Je lui ai expliqué en quoi consistaient les entrées et les plats. J'ai commandé une bouteille de vin, bien qu'il m'eût avertie qu'il n'en boirait pas une goutte.

J'avais l'impression qu'on nous épiait comme une véritable curiosité. Notre couple recelait quelque chose d'indicible et de pervers.

Le vin m'a décontractée un peu.

— Allez, goûtes-y ! que j'a dit à Olivier qui se momifiait sur place.

Il a à peine trempé ses lèvres dans le verre en grimaçant.

— C'est sûr !

— C'est pas sûr. Sûr, c'est le citron ou des trucs comme ça. Le vin, c'est tannique ou parfois acide s'il n'est pas très bon.

— Celui-ci est vraiment acide alors.

— Pas tant que ça... mais bon, j'apprécie tes efforts.

Prudent, Olivier s'était commandé du poulet aux herbes. Il n'aurait pas ingurgité plus d'exotisme. Moi, j'ai choisi du poisson, mais un filet parce que je n'étais pas d'attaque pour soutenir son œil.

— Tu manges trop de poisson.

— Tu manges trop de poulet.

— Le poisson, ça contient du mercure. Tu l'emmagasines dans ton corps.

— Hum... t'es renseigné dis donc, que je lui ai dit. Tu lis les journaux, maintenant ?

— J'écoute la télé.

— C'est vrai... ton sport préféré.

— Oui, tu l'as dit.

— À la tienne !

— À la tienne !

— Il est bon au moins ton poulet ?

— J'aime mieux celui que je prépare moi-même, mais...

— Incroyable. Il faut t'ouvrir l'esprit, Olivier. Tu peux pas t'enfoncer dans tes petites ornières.

— Moi, j'ai vingt ans, qu'il m'a répondu, et j'habite seul dans un pays étranger. Je travaille et j'étudie... et maintenant je suis au resto avec ma prof. De quelles ornières parles-tu ?

Sa démonstration était saisissante, mais j'ai tout de même ajouté qu'il ne vivait pas tout à fait seul.

— Je pars en appartement bientôt.

— On en reparlera au printemps.

Moi j'ai lancé ça comme si j'avais le pouvoir de décider quelque chose dans la vie de ce garçon de vingt ans si indépendant.

□

Le lendemain, comme c'était dimanche, je me suis précipitée à la porte de sa chambre.

— Olivier, Olivier, tu vas être en retard à ton église.

J'étais drôlement inquiète pour lui et sa chorale. Il ne répondait pas, alors j'ai ouvert la porte ; Olivier était étendu dans son lit et me regardait de ses grands yeux noirs qui ne bronchaient jamais.

Il s'est poussé sur le côté pour me laisser une place dans son lit.

— Aujourd'hui, pas de chorale. Je m'occupe de toi. Tu es si gentille.

Gentille ? J'ai cueilli avec révérence ce compliment qui cachait certainement autre chose. Comme la fille gentille que j'étais, je me suis faufilée entre les draps. On s'est enlacés super doucement. Moi, je me liquéfiais tellement mon corps se répandait d'aise.

Olivier m'inondait de ses douces caresses, de ses baisers. Il se montrait plus entreprenant que de coutume, j'ai même soupçonné qu'il s'exerçait en vue d'une rencontre qui ne me concernait pas. Avec une fille qui portait des chaussures à semelles épaisses, par exemple. Ouais, j'ai pensé ça quelques secondes. Il prenait de l'expérience en accéléré. Dommage qu'il soit venu presque aussitôt. Mais nous sommes restés sous les draps collés l'un contre l'autre. Il y avait une éternité que je n'avais ressenti un tel bien-être.

Sur le mur face au lit, il y avait une grande carte du monde. J'ai tiré Olivier hors du lit pour qu'il voie de plus près notre situation dans le monde. Je ne voulais pas lui donner un cours, juste lui montrer où se situait la Basilicata.

— Voilà, l'Italie, c'est là, et Haïti, là. Pour le moment on est ici, à peu près à la même distance l'un de l'autre.

— C'est petit, Haïti.

— Et encore, c'est pas toute l'île.

Je voyais qu'il était déçu. Mais, finalement, cette petitesse lui est apparue comme une raison de plus de chérir son pays.

— Mon pays, c'est le plus petit pays du monde, a-t-il conclu en regardant les autres pays qui entouraient le sien.

— Presque.

— Pis où est-elle, la Basilicata ?

— Ici, dans le sud de la botte, alors que ton Pétionville, c'est là, à Port-au-Prince.

— C'est loin… Il y a beaucoup d'eau entre les deux.

— Un jour, on pourrait y aller ensemble.

— En Haïti ?

— Non, en Basilicata.

— …

— C'est pour rire, on irait à Port-au-Prince aussi. Bien que ça soit plus dangereux.

On examinait cette carte, tous les deux séparés par un océan. J'ai pris sa main pour ne pas le perdre.

Tout d'abord, je n'avais pas fait attention à l'ordre qui régnait dans la chambre, mais là, quand Olivier m'a confirmé qu'il avait loué un appartement, j'ai déduit que les valises étaient prêtes. C'est pour ça que la chambre était si bien rangée. Il partait le lendemain.

Il a refusé mon aide pour le déménagement, j'ai compris qu'il préférait garder son adresse secrète. Je n'ai pas croulé sous l'implosion immédiatement parce que j'espérais le retrouver à l'école tous les jours. Cette idée m'aidait à ne pas sombrer, car mon pouls à ce moment-là s'était drôlement emballé. Je me répétais : je lui parlerai à l'école, il me donnera son adresse, je lui écrirai des messages, je l'inviterai à souper chez moi, on se fréquentera.

— On se verra, hein ?

— Oui, bien sûr. Mais, pour le moment, je dois vivre seul, Basilica.

— Je comprends.

Il me caressait les cheveux, le visage. J'avais honte de mes rides, de ma moue, de mes cernes, j'avais honte de ne pas avoir ce qu'il fallait pour le retenir. Il a embrassé ma main.

À l'école, la session achevait et on courait après le temps. Examens, corrections, remises des notes. Une atmosphère de vacances flottait dans l'air. Olivier aussi était toujours pressé. Le travail, le travail. Il s'absentait de plus en plus souvent. Fatigué comme il était, il ne pouvait pas tenir le coup indéfiniment. Ses notes s'en ressentaient déjà.

Puis, tout d'un coup, il a cessé ses cours.

□

Je suis restée un bon quinze minutes dans la même position dans mon fauteuil à roulettes à gratter mon vernis à ongles. Je me disais, mais ce n'était pas clair : j'aurai sûrement une idée ; il arrivera quelque chose. Puis, une demi-heure plus tard, plus peut-être, ce quelque chose n'était pas arrivé. Je me disais : il va téléphoner. Il ne téléphonait pas. Je me disais : je serai assise à mon pupitre et il viendra me voir, ouais. C'est ça, il rentrera dans ma classe, il me donnera son numéro de téléphone, sa nouvelle adresse. Puis, je me disais : il ne viendra jamais plus. Et ça, ça m'était insupportable. J'avais besoin qu'on me l'infiltre à doses homéopathiques. Pas d'un seul coup, aussi brutalement.

Parfois, la nuit, je me réveillais, j'avais l'impression de ne plus être chez moi. Était-ce bien ma chambre ? Je me précipitais dans l'autre chambre, sa chambre. Je n'avais pas rêvé, il n'y avait personne. Le matin, je prenais une voiture qui n'était plus ma voiture pour me rendre dans une école qui n'était plus mon école. C'était fou.

Je n'avais pas lu un livre en me couchant depuis une éternité, je n'étais pas allée au cinéma, je n'avais pas vu d'amis à l'exception de Vladim. Je vivais en recluse dans mon désir et, au lieu d'avoir profité de ce goût de changement que faisaient naître en moi mes cinquante ans, je m'étais recroquevillée sur moi-même. J'avais voyagé dans le temps jusqu'à la source de mon âge adulte, à cette époque où je découvrais le désir, l'amour, les balbutiements de ma liberté future. Je n'avais plus personne pour me tenir la main, pour me caresser et que je caresse.

En sortant de l'école, je me suis rendue dans une animalerie et j'ai observé longuement les chiots dans leur cage vitrée. Ça me touchait, ces petites créatures dans une cage de verre. J'étais triste de les voir prisonnières dans un espace si restreint et à la fois fascinée par leurs jeux. Ils se culbutaient sans cesse. Parfois, il y en avait un qui stoppait ses fanfaronnades pour me fixer à travers la vitre. Et je riais toute seule. La vendeuse m'en a apporté un qu'elle a déposé dans mes bras pour m'inciter à l'acheter. Il était si nerveux ! La petite boule de vie m'aurait adoptée tout de suite. C'était chaud, ce petit être contre moi.

— Quel est son nom ? ai-je demandé à la vendeuse.

Elle a ânonné sa réplique de vendeuse à commissions :

— Il attend des parents pour lui en donner un.

Pas de nom. En trouver un exigeait trop d'imagination. Je lui ai redonné le chien. Je ne supportais aucune responsabilité.

□

Olivier ne revenait pas et les terribles vacances de Noël qui mettraient sur *pause* les chances que je le revoie débuteraient à la fin de la semaine. Les voix, toutes les voix, celles des élèves ou de mes collègues formaient un brouhaha indiscernable. Tout le monde était si affairé.

— Je pars le vingt et un… et toi ?

— Basilica, elle, elle est déjà partie, tu vois bien.

— Youhou ! Basilica, redescends parmi nous.

J'ai esquissé un léger sourire forcé.

— C'est qu'elle est déprimée…

— C'est le temps des fêtes, ça déprime beaucoup de monde.

— Pourquoi tu pars pas en Italie ?

J'ai haussé les épaules, les mots bloqués au seuil de ma bouche.

— C'est parce qu'elle est toute seule. Victor, tu devrais l'accompagner.

— Je suis d'accord, moi, mais elle ne veut rien savoir de moi.

— Tu ne lui as pas offert.

— C'est pas la peine. C'est non, ai-je dit sèchement.

— As-tu un peu de famille ?

La famille…Il y avait bien une sœur de ma mère qui croupissait dans une résidence du West Island, mais qui refusait de me parler français *of course* depuis qu'elle avait été promue à un échelon supérieur en épousant en troisième noce un investisseur de fonds virtuels du Michigan. J'avais dénoncé les abris fiscaux tordus dont il bénéficiait dans une lettre cinglante à *La Presse* avec preuves à l'appui : dépenses, revenus, cachotteries, courriel, adresse, téléphone et *tutti quanti*. Réveillonner avec elle était inimaginable.

— Arrêtez de penser à moi comme à une vieille incapable abandonnée. Si je ne fais rien à Noël, c'est que je l'aurai décidé ainsi.

— Laissez-la donc tranquille, a dit Alice.

Derrière le cahier « Tendances actuelles », à la page C16, une grande guenon du zoo de Bangkok, avec des yeux tristes comme une guenon triste, berçait un chiot beagle orphelin. J'ai découpé cette photo qui m'a tout de suite rappelé Olivier et moi. Le soir, à la maison, je l'ai fixée sur mon frigo à l'aide d'un papillon-aimant. Elle y est toujours d'ailleurs.

□

Quand je suis revenue des vacances de Noël, j'espérais revoir Olivier à l'école. Il n'y était pas. L'idée de le retrouver m'avait fait traverser ces vacances de Noël, certes les moins reposantes qui soient, mais je les avais assumées. Mon instinct de survie s'était montré étonnant.

Dès le premier jour de classe, je cherchais parmi les étudiants réunis dans la salle mon ami Olivier. Il n'y était pas. Ni dans ses classes habituelles. Durant les vacances, j'avais anticipé ces retrouvailles, mais là, j'étais face à la séparation définitive. Ce mot-là, je n'osais pas le prononcer ; le définitif, ça me précipite dans le vide et je ne le supporte pas. Il faut toujours qu'il y ait une porte de sortie, ouais, une chance de s'en sortir, sinon…

Puis j'ai pensé qu'il était toujours possible de le retracer. Au secrétariat, on avait son numéro de téléphone et son adresse. Ça m'a rassurée que quelque part dans les fichiers informatisés de Violaine, la secrétaire affectée aux dossiers des élèves, on pouvait obtenir le numéro ou l'adresse d'Olivier. Aussi j'ai demandé à

Violaine de me fournir ce numéro de téléphone en prétextant qu'on comptait sur Olivier pour une présentation orale. N'importe quoi. Violaine m'a dit que le dossier d'Olivier était fermé. J'ai aussitôt ajouté, parce que j'avais des réserves, qu'il fallait que je lui remette un livre et que j'avais donc besoin de ce numéro de téléphone. Rien à faire, elle n'avait que le vieux numéro et l'ancienne adresse à son dossier, celle de la logeuse scrupuleuse. Le garçon s'était volatilisé. Un film d'horreur.

—T'inquiète pas pour son livre, que m'a dit Violaine qui supposait qu'il s'agissait d'une édition très spéciale, s'il le veut vraiment, il va revenir le récupérer.

Je réfléchissais à la façon de surmonter mon épreuve. J'avais besoin d'une nouvelle tactique pour garder mon équilibre, pour ne pas sombrer. J'ai pensé que je connaissais l'adresse de son église et qu'il s'y rendait sûrement le dimanche, lui si pieux. Ça me procurait un but quelconque, quelque chose pour me tranquilliser et regagner ma classe, ouais, enseigner, quoi ! C'est à ça que je servais.

J'ai pas traîné. Après les cours, je me suis rendue chez le pasteur. L'homme m'avait l'air suspect, enfin il n'était pas exactement à l'image que je me faisais d'un pasteur. Au contraire, ses bagues en or tout plein de carats, sa poitrine ornée d'une croix de dix pouces, tout son accoutrement détonnait dans son local de prières improvisé. Il m'a affirmé qu'il n'avait pas revu Olivier depuis le concert de Noël. Il n'avait ni téléphone ni adresse à me refiler. Je me suis demandé s'il mentait, s'il me cachait la vérité sous les recommandations d'Olivier. C'était un peu capoté comme supposition, la vie est beaucoup plus simple, même si ce pasteur-là n'avait rien de simple. Avec un air affable, il m'a indiqué la sortie. Il n'a même pas cherché à me convertir ou à me consoler. Sa charité ne me concernait pas, ou encore son apostolat n'était pas aussi évangélique qu'il le laissait croire.

Ce n'était pas un agent double de son espèce qui m'arrêterait dans mes recherches. Olivier ne s'était pas désintégré, sûrement qu'il travaillait encore dans sa manufacture de vêtements, peut-être même sept jours sur sept. J'ai téléphoné à Rani qui demeurait à côté de cette manufacture. C'est ça qu'Olivier m'avait affirmé le soir mémorable de la tempête de neige. Elle n'avait pas entendu parler de lui depuis avant Noël, et puis elle ignorait où se situait cette entreprise. Elle habitait un véritable quartier industriel, ça pouvait être n'importe où, qu'elle m'a assuré. J'avais un doute.

— Tout doit s'expliquer le plus simplement du monde. Il s'est déniché un nouvel emploi dans un autre quartier, aussi il a déménagé près de son travail et il s'est inscrit dans une école pas trop loin. C'est normal, Basilica.

Ouais, tout semblait si normal pour tout le monde, alors que moi je nageais dans l'obscurité, le drame, le fantastique. Elle se montrait un peu trop calme, Rani, pour la circonstance. Elle aurait dû être étonnée ou me manifester de l'empathie. Rien. Normal, qu'elle disait. Je lui découvrais des ressemblances avec le pasteur : un sourire infranchissable et des nerfs à toute épreuve. Des adeptes de la même secte.

Les possibilités d'opération s'amenuisaient. La nuit, j'ai repassé en revue toutes les personnes qui avaient été en contact avec Olivier. La liste n'était pas longue.

— Patricia, c'est quoi le nom de la grande Haïtienne à plates-formes dans ta classe ?

— Tu veux parler de Clarisse ?

— Ah… c'est elle, Clarisse ? Tu l'as vue, aujourd'hui ?

— Oui, elle est à la cafétéria. Mais attends, Basilica.

— …

— Ton chandail, il me semble qu'il est à l'envers.

— Et alors ? C'est comme ça qu'il se porte, mon chandail. Il faut montrer la griffe à ce qu'il paraît.

— Ah bon.

Je n'ai pas terminé ma salade de fenouil et j'ai laissé mon napperon, mes ustensiles et ma petite serviette sur la table. Je n'ai rien rangé, même si Patricia risquait la syncope.

Clarisse rigolait avec des amis. Ça me rassurait, dans une certaine mesure.

— Olivier a abandonné l'école ? que je lui ai demandé sur un ton badin.

— C'est vrai.

— Et tu sais ce qu'il devient ?

J'ai posé la question le plus nonchalamment possible pour qu'elle ne se méfie pas de moi.

— Oui. Olivier est reparti en Haïti. Il a quitté le Canada.

J'ai pris un moment avant de poursuivre parce que, là, j'avais à franchir un *checkpoint* : ou je continuais, ou…

— Définitivement ?

— Oui, c'est ce qu'il a dit… Pourtant, ça va si mal là-bas… C'est fou comme idée…

□

Je n'ai pas enquêté jusqu'en Haïti pour retrouver son adresse ou son numéro de téléphone.

C'était comme une envie de fumer qu'on contrôle. Ça vient par à-coups, ça dure quelques secondes, une minute au plus, puis on passe à autre chose. Mon terrible besoin de lui montait dans mon corps malgré moi. À tout moment, je pouvais être surprise par un à-coup. N'importe quoi déclenchait mon symptôme : un mot anodin, un air de ressemblance. J'avais deux ou trois hoquets étranglés, puis l'apaisement suivait.

Même mon caractère s'était adouci, un peu comme une convalescente qui craint d'empirer son état en s'énervant pour un rien. Tout le monde me trouvait si douce. Les élèves, les collègues. Le samedi soir, Vladim me rendait visite. On buvait du vin, parfois il restait plus longtemps et on terminait la soirée avec de la vodka.

Si j'avais eu vingt ou trente ans, mon agressivité naturelle aurait repris le dessus après quelques semaines. Là, je crois que je n'avais plus l'énergie pour une telle remontée. Mais tout compte fait, j'étais OK.

CET OUVRAGE
COMPOSÉ EN GAILLARD CORPS 12 SUR 14
A ÉTÉ ACHEVÉ D'IMPRIMER
LE VINGT SEPTEMBRE DE L'AN DEUX MILLE QUATRE
PAR LES TRAVAILLEURS ET TRAVAILLEUSES
DES PRESSES DE MARC VEILLEUX IMPRIMEUR
À BOUCHERVILLE
POUR LE COMPTE DE
LANCTÔT ÉDITEUR.

IMPRIMÉ AU QUÉBEC (CANADA)